ÉRIC PESSAN

DANS

LA

FORÊT

DE

HOKKAIDO

Médium +
l'école des loisirs
11, rue de Sèvres, Paris 6ᵉ

© 2017, l'école des loisirs, Paris
Loi n° 49.956 du 16 juillet 1949 sur les publications
destinées à la jeunesse : août 2017
Dépôt légal : août 2017
Imprimé en France par Gibert Clarey Imprimeurs
à Chambray-lès-Tours (37)

ISBN 978-2-211-23366-8

DANS

LA

FORÊT

DE

HOKKAIDO

Le monde a des dents,
et quand l'envie le prend de mordre il ne s'en prive pas.
Stephen King

Tout ce que nous voyons ou croyons
N'est qu'un rêve à l'intérieur d'un rêve
Edgar Allan Poe

J'ai poussé un long cri,

très long,

un cri terrible qui n'en finissait plus de jaillir de ma gorge,

de monter de mon ventre,

de naître de ma peur,

un cri qui charriait la douleur,

la terreur et l'incompréhension,

un cri d'impuissance aussi,

comme un appel au secours,

comme quelque chose qui se casse et qui ne pourra pas se réparer.

Jamais de ma vie je n'ai poussé un tel cri, jamais. Aucune tristesse, aucune blessure, aucune peine ne m'avait conduite aussi loin dans la souffrance. Je crois bien que si je n'avais pas crié j'aurais explosé. Ce que le cri a expulsé de moi était trop lourd pour que je le garde, cela m'aurait écrasé le cœur, compressé les organes, cela m'aurait étouffée.

J'ai hurlé, hurlé, et quand la porte de ma chambre s'est ouverte d'un coup, j'étais assise dans mon lit, la couette rejetée, et je criais obstinément dans le noir.

Ma mère m'a prise dans ses bras, *Julie*, elle disait, *Julie*. Elle répétait mon prénom sans parvenir à assembler une phrase. La lumière s'est allumée, mon père est entré, suivi de mon frère, l'un comme l'autre tirés du lit, ne portant qu'un caleçon. Je les ai regardés sans trop comprendre ce qu'ils faisaient là. *Ça va, Poids plume ?* a demandé mon frère. Je déteste quand il m'appelle comme ça. J'ai eu envie de le traiter d'abruti et j'ai réalisé que j'avais rêvé.

Le cri était né dans mon rêve.

Il y a eu un grand moment de silence, ma mère a de nouveau chuchoté *Julie* tout près de mon oreille, je sentais la chaleur enveloppante de ses bras. Mon père et mon frère se tenaient immobiles, un air mi-préoccupé, mi-idiot sur le visage, et j'ai éclaté de rire.

Au lieu de rassurer tout le monde, mon rire a provoqué une explosion de protestations : mon frère a décrété que je me foutais du monde, mon père a poussé un long soupir et ma mère m'a lâchée tout de suite.

Un rêve, j'ai expliqué, j'ai fait un rêve, ou plutôt un cauchemar, c'est ce qui m'a réveillée en sursaut.

C'est en parlant que j'ai réalisé combien j'étais essoufflée, mon cœur battait trop vite et fort dans ma poitrine, je me sentais épuisée comme après une longue course. Ce grand crétin de Thomas m'a fait remarquer que nous étions samedi matin et qu'il était à peine 7 h 30, qu'il avait prévu de dormir parce qu'il passe le bac dans un mois, qu'il a besoin de sommeil et que ce ne sont pas des manières de hurler comme ça, même si on rêve qu'on est poursuivi par un type avec un masque de hockey brandissant un grand couteau.

Quand il a eu fini sa tirade, il est reparti se coucher. Je suis restée seule avec mes parents qui voulaient savoir si j'allais bien et si je me souvenais de mon rêve. Ma mère a touché mon front et l'a jugé un peu chaud. Je les ai rassurés comme j'ai pu, je voyais bien qu'une alarme s'était enclenchée dans leurs regards. Dès que j'ai de la fièvre ou qu'il se passe une chose qui sort de l'ordinaire, ils repensent à ce que – dans la mythologie de la famille – on appelle *le jour où j'ai failli mourir*. J'avais trois ans, j'avais fait une crise de convulsions, j'avais cessé de respirer une poignée de très longues secondes, serrée dans les bras de mon père. Il paraît que j'étais devenue toute noire de visage et bleue des lèvres. J'ai beau n'avoir aucun souvenir de cet épisode, je sais qu'il traverse l'esprit de mes parents dès que je vais mal. Tout va bien, j'ai fini par dire, en reprenant mon souffle, *ce n'était rien qu'un mauvais rêve*. Et pour couper court aux questions, j'ai menti en ajoutant que j'avais totalement oublié ce qui m'avait fait crier dans mon sommeil.

Quand ils m'ont enfin laissée, j'ai éteint la lumière, je me suis allongée, j'ai attendu que les battements de mon cœur s'apaisent et j'ai repensé à mon rêve.

Il était là.

Parfaitement gravé dans ma mémoire.

Dans les moindres détails.

Et je ne sais pas pourquoi je n'ai pas voulu le raconter

à mes parents. Je ne comprends pour pourquoi j'ai su d'instinct que ce rêve serait un secret.

J'étais un petit garçon.

J'étais perdu.

J'étais dans la forêt de Hokkaido.

J'étais seul.

Totalement,

absolument,

terriblement,

seul,

perdu,

pire que perdu :

abandonné.

Dans l'obscurité, je regarde les poussières danser entre les rayons lumineux des stores. La fenêtre de ma chambre ouvre vers l'est où le jour se lève. L'appartement a beau n'être qu'au troisième étage, le soleil l'éclabousse de lumière, à condition que la matinée soit belle et le ciel dégagé. Je ne ferme jamais entièrement mes stores, cela forme des rangées de pointillés entre chaque lame de plastique, la lumière peut entrer, quadriller l'espace, et des escarbilles imprécises flottent, s'éclairent un instant, disparaissent, réapparaissent dans un autre rayon plus bas. Certains matins, quand j'ai du temps, je regarde ce ballet pendant des heures. Je n'imagine rien de précis, pas de station spatiale ni de météorites dans les vents solaires, ça me suffit de savoir qu'il s'agit de poussières minuscules glissant de faisceau en faisceau, c'est beau, c'est simple.

La banalité de ce que je vois est rassurante, je m'y perds encore un peu, je sais bien que je gagne du temps, je repousse le moment où je vais repenser au rêve du petit garçon, et puis je cède, j'ai envie de le retrouver, même s'il me fait peur.

Je marche sur le bord d'une longue route goudronnée, les arbres agitent leurs feuilles loin au-dessus de ma tête, je suis un garçon, je le sais sans le déduire d'aucun indice. Dans le rêve, il est naturel que je sois un garçon. Bien que mes jambes tremblent et que mon cœur se serre, je marche et – au loin – une voiture s'éloigne. Je sais qu'à l'intérieur se trouvent mon père, ma mère et ma grande sœur.

Je sais qu'ils viennent de m'abandonner.

Je sais qu'ils ont décidé de me laisser là, au bord de la route, comme un chien dont on se débarrasse avant de partir en vacances.

Ces choses-là sont évidentes. Ces savoirs font partie du rêve aussi bien que l'ombre profonde de la route. Les hautes branches des arbres plantés à gauche comme à droite de l'asphalte se rejoignent pour s'entremêler et tresser une voûte masquant partiellement le ciel. La route semble percée dans un tunnel végétal. La lumière tombe au travers des feuilles, elle ressemble à celle qui se glisse entre les lames de mon store : elle est diffractée, morcelée, elle dessine des signes que personne n'est capable de lire, des messages secrets que la nature s'adresse à elle-même.

J'ai dans mon ventre un inextricable nœud de colère, de terreur et de chagrin, d'émotions contradictoires qui s'entortillent et se tordent comme des serpents.

De la cuisine me parviennent les voix étouffées de mes parents, ma mère était déjà levée et mon père ne s'est pas recouché. Dans le rêve, j'entendais décroître le bruit du moteur de la voiture, et le silence s'installait. Le faux

14

silence de la forêt composé de mille bruits inquiétants ou banals : le vent dans les branches, des craquements, des choses qui tombent et roulent au sol, des bourdonnements, des vrombissements, le chant des oiseaux ; et des courses invisibles, des mouvements dans les broussailles, des reptations, des affûts, des cris, des feulements. Le silence de la forêt est un vacarme feutré, tendu, qui naît de la joie des aigles autant que de la mastication des chenilles, du balancement des feuilles, comme de la brusque détente d'un prédateur vers la gorge d'une proie.

Je suis un petit garçon,
j'ai peur,
je sens mes larmes monter,
je ne veux pas pleurer,
la brûlure au coin de chaque œil devient insupportable,
et je pleure, je pleure si fort que la route se brouille, que je perds l'instant où la voiture disparaît dans un virage lointain, tout au bout de la longue ligne droite où j'ai espéré de tout cœur qu'elle ralentisse, s'arrête, et que ma mère en descende pour me dire de vite venir la rejoindre.
Je suis perdu,
totalement et irrémédiablement perdu.

Repenser au rêve m'oblige à lutter contre les larmes, une boule d'angoisse obstrue ma gorge, j'ai les mains gelées, je les glisse sous mes fesses pour les réchauffer. C'est absurde, il fait beau dehors, je le vois au bombardement de lumière qui transperce mes stores,

ce n'est qu'un rêve,

je me dis pour me rassurer,

et aussitôt, je revois la scène, si nette, si précise : les arbres hauts, les montagnes visibles au loin dans les trouées des branchages, la route déserte maintenant, la certitude que je vais mourir de faim, de froid, de soif, ou qu'une bête sauvage va venir m'enlever, ou pire qu'une bête sauvage : une créature cruelle et surnaturelle, un démon ou un diable, va s'emparer de moi, m'emporter dans sa tanière, me dévorer vif ou faire de moi son esclave.

Et dans ma tête il y a une pensée épouvantable contre laquelle je lutte, parce que si je la laisse s'installer, elle va briser ma raison, elle va faire exploser mon cœur et je vais mourir d'un seul coup. Je préfère encore qu'un esprit malfaisant vienne me prendre que d'affronter cette pensée-là.

Mes parents m'ont volontairement abandonné au bord de la route.

Aucun enfant ne peut survivre à cette pensée, il peut continuer à marcher comme je le fais maintenant, il peut pleurer, il peut se retourner dans l'espoir de voir arriver une voiture, il peut donner des coups de pied dans les cailloux et les branches mortes tombées au sol. De colère, il peut arracher un arbuste et le réduire en morceaux quitte à se blesser les mains ; mais, s'il pense trop fort à l'abandon, quelque chose se brise en lui, quelque chose vole en mille éclats coupants qui ne pourront jamais jamais jamais se réassembler.

Le rêve est bientôt fini, bientôt le petit garçon que je suis devenue va hurler, et le cri percera la membrane du sommeil pour jaillir de mes lèvres et ameuter toute ma famille.

Il reste une dernière chose étrange, une chose absurde et inquiétante que je n'arrive pas à comprendre.

Kamikakushi, je pense. C'est le mot qui m'est venu à l'esprit quand j'ai songé qu'un diable pouvait venir m'attraper. Et je sais qu'il signifie littéralement *caché par les dieux* et que l'on emploie ce mot-là au Japon pour désigner une personne qui disparaît sans laisser de traces.

J'ai des expressions et des phrases en japonais plein la tête. Je ne connais pas cette langue, je ne l'ai jamais apprise, je ne connais personne qui parle le japonais. Ce que je sais de ce pays se limite aux mangas que je lisais plus jeune – des romances sentimentales qui me font un peu honte maintenant – et aux films de Miyazaki. Un

Totoro plusieurs fois recousu posté au pied de mon lit peut en témoigner. J'ai beau grandir, il n'a pas quitté ma chambre depuis que je l'ai reçu pour mes quatre ans. Plus jeune, mon frère le volait pour me faire enrager, au début je riais en lui demandant où il avait bien pu le cacher, mais l'émotion l'emportait, je finissais par trépigner de colère et nos parents étaient obligés de s'en mêler.

Un bruit me fait sursauter, je suis terriblement tendue, les battements de mon cœur ont beau s'être calmés, l'oppression provoquée par le sentiment d'abandon ne me quitte pas. De l'autre côté de la cloison, Thomas bouge ; mon frère ne s'est pas rendormi.

J'allume la lumière, prends un cahier, un stylo et me glisse de nouveau sous ma couette. Sur une page, je note phonétiquement *Kamikakushi*, je note aussi *Hokkaido*, ce que je crois être le nom de la forêt où mon rêve m'a conduite. Je vérifierai sur Internet. Je ne sais pas pourquoi je ne le fais pas tout de suite. Sans doute ai-je peur que ces mots signifient vraiment quelque chose, que tout cela ne soit pas un simple cauchemar.

Parce que, au fond de moi, j'ai la certitude irrationnelle que ce rêve n'est pas un rêve ordinaire.

Je le sais.

Ce rêve n'est pas un rêve.

Je profite d'être seule pour prendre mon Totoro et m'enrouler en boule dans le lit avec lui. Ce n'est pas ce que l'on fait quand on a quinze ans, je m'en fiche, je me recouvre entièrement de ma couette, je me love dans la tiédeur protectrice, je respire les odeurs de mon corps, l'air devient chaud et lourd, Totoro pue la poussière et le vieux, je demeure comme ça jusqu'à ce que je ne puisse presque plus respirer. J'ai besoin de chaleur, mes mains et mes pieds se réchauffent lentement. C'est comme si le rêve avait aspiré une partie de ma force vitale. Ma température corporelle me paraît bien plus basse qu'à l'ordinaire.

J'ai besoin de me sentir protégée. J'ai beau savoir qui je suis et où je suis, une partie de moi demeure un petit garçon japonais caché par les dieux.

Forcément, les mots existent. Wikipédia m'apprend que Hokkaido n'est pas le nom d'une forêt mais celui de la plus septentrionale des quatre îles principales qui forment l'archipel du Japon. Elle est glacée l'hiver, fraîche et sèche l'été, entourée d'une mer qui gèle régulièrement le long des côtes du nord, soumise à l'influence des vents venus de Sibérie. Elle est peu peuplée, montagneuse, agricole et touristique, très belle si j'en juge par les photos que je fais défiler sur Internet, elle possède plusieurs parcs nationaux, on y célèbre un festival de sculptures géantes sur glace, elle abrite de nombreuses espèces sauvages et tout particulièrement des ours.

J'aurais préféré que le moteur de recherche affiche une page d'erreur. 40 900 000 résultats en 0,45 minute, c'est beaucoup trop pour moi, une boule d'angoisse se forme aussitôt dans ma gorge. Je n'ai pas le temps de chercher comment on dit *disparu* en japonais, Thomas m'arrache la tablette des mains, va se jeter dans un fauteuil du salon pour lire ou regarder je ne sais quoi et relève la tête vers moi.

Ça va ? il me demande, décontenancé. Il s'attendait à ce que je proteste. Je le foudroie du regard en silence jusqu'à ce qu'il baisse les yeux, et je repars dans ma chambre.

Thomas a beau avoir trois ans de plus que moi, il ne fait pas le poids : à la bataille du regard, je l'emporte toujours.

Le mot *kamikakushi* existe, j'en suis certaine. Le ciel demeure gris et chargé, j'ai relevé mon store, je regarde l'alignement des voitures sur le parking, je laisse les messages s'accumuler sur mon téléphone, j'ai encore besoin d'un peu de calme et de silence avant d'affronter l'agitation ordinaire d'un samedi.

Jamais un rêve n'a été aussi réel, jamais les branches des arbres n'ont comporté autant de feuilles, jamais les nuances de vert n'ont été aussi nombreuses, jamais la fraîcheur n'a été aussi mordante. Dans un rêve, les choses sont faites d'un seul bloc. On a froid et le froid est un tout, pas un engourdissement progressif des mains, une humidité qui saisit le visage, qui traverse les chaussures trop légères, qui mord les pieds avant de geler les orteils puis de paralyser les mollets.

Dans un rêve, le sol ne s'accorde pas à la perfection avec la sensation de froid, il n'est pas rendu spongieux par la récente fonte des neiges, il n'a pas cette consistance précise, molle et moussue, qui colle aux semelles et alourdit chaque pas. Je ne me souviens d'aucun rêve où les mouches me tournaient autour avec une obstination irritante en même temps que j'entendais le bruit de leur vol mêlé à des centaines de sonorités superposées.

Dans un rêve, je ne sais pas si l'angoisse est aussi précise. J'ai le souvenir de grandes terreurs éprouvées lors de cauchemars, je me souviens de ce que je ressentais lorsque je me retrouvais seule dans une ville labyrinthique où personne ne comprenait le français, je me souviens lorsque je me trompais de classe ou de collège et que je me retrouvais face à des élèves inconnus, interrogée par un professeur que je n'avais jamais vu sur une leçon que je n'avais pas apprise.

C'étaient des rêves. Désagréables, pénibles, mais de simples rêves où la peur massive emportait toutes les pensées d'un coup. Alors que dans la forêt de Hokkaido j'ai ressenti la patiente infusion de la terreur : le tremblement des muscles de mes jambes, l'angoisse comprimant ma gorge, la lutte contre les larmes qui rougissaient mes paupières, et les tourbillons de pensées contradictoires qui finirent par me comprimer le ventre et la poitrine.

Dans un rêve, je ne pense pas tant de choses en même temps, je ne me récite pas que *ce n'est pas possible,*
qu'ils vont revenir,
qu'ils vont s'arrêter et faire demi-tour,
tout en me disant *qu'ils m'abandonnent à tout jamais,*
qu'ils ne m'aiment pas,
qu'ils préfèrent que je sois mort,
que mon père, ma mère et ma sœur me détestent.

Trois SMS d'Elliot patientent dans la messagerie de mon téléphone. Presque un record. Il n'est pas du genre à insister, Elliot, pas plus qu'il n'est bavard. J'avais prévu d'aller faire quelques révisions chez lui pour le brevet cette après-midi. Ce n'est pas que je travaille mieux lorsqu'on est ensemble, c'est juste que le temps passe plus vite et que les révisions sont moins pénibles. Elliot est en seconde. Je fais croire à mes parents qu'il m'aide en maths, mon point faible, mais je ne suis pas sûre qu'il ait le niveau de troisième. Heureusement que ses notes dans les autres matières compensent, il est à peine capable d'effectuer une addition avec une calculatrice.

Elliot a beau être habitué à ce que je lui raconte des trucs bizarres, je n'arrive pas à lui répondre. Je sais qu'il est sans jugement et qu'il peut croire à des choses qui feraient sourire pas mal de gens, mais c'est encore trop tôt pour parler du rêve. À lui comme à mes parents.

Mon frère, en premier, s'inquiète. Avec sa délicatesse habituelle, il trouve que j'ai une tête à faire peur. Une mine horrible. Une face de déterrée avec des yeux de zombie. Le ton mélodramatique avec lequel il prononce cette phrase arrête le temps l'espace de trois ou quatre secondes. Ma mère, qui s'apprête à partir au marché, se fige, un panier à la main. Mon père, qui regarde la porte du micro-ondes en attendant que son café soit réchauffé, lève les yeux vers moi.

Une seconde.

Deux secondes.

Personne ne bouge.

Trois.

Quatre.

Le micro-ondes sonne et la vie reprend son cours.

Julie, demande mon père, *tu vas bien ?* Comme je sais qu'il est sans doute déjà en retard, je réponds *Oui, je vais très bien.* Il hésite, boit son café, se brûle, continue tout de même, embrasse maman et file. Il ne prend jamais l'ascenseur. La porte refermée, on l'entend courir dans les escaliers et sauter les deux dernières marches de chaque palier. Depuis qu'il est élu au conseil municipal, papa se fait rare à la maison. Le samedi matin, il tient deux fois par mois une permanence dans la cité où les gens peuvent aller discuter avec lui de leurs problèmes ou de leurs idées. Je sais très bien qu'il culpabilise d'être si souvent absent, il prend alors un air de chien battu qui nous fait tous sourire. Dans le fond, il a beau courir tout le temps, il peut compter sur la patience infinie de maman. On est fiers de lui. Ce n'est pas si simple d'être élu, encore moins de l'être dans l'opposition municipale. C'est son combat, son engagement, et même si maman proteste, elle le respecte et l'admire.

Ma mère reste suspendue au seuil de la porte, il est déjà 10 heures, elle se fait un devoir d'acheter les fruits, les légumes et la viande chez des producteurs, au marché, et jamais au supermarché. Je vois plusieurs questions et hésitations passer sur son visage.

Va, je lui dis, *c'est juste un rêve dont je n'arrive pas à me souvenir. Je vais très bien.*

Quand elle ferme la porte derrière elle, je sais que je n'ai pas chassé toutes ses inquiétudes mais que j'ai été assez convaincante pour qu'elle parte tranquille.

Avec Thomas, c'est une autre affaire. Il ne lâche pas si facilement.

Tu vas bien ? il redemande.

J'hésite à engager une nouvelle bataille de regards. Le téléphone me sauve. C'est Klara, sa copine. Cela veut dire que j'ai la paix. L'immeuble entier pourrait brûler, s'il est au téléphone avec elle, Thomas n'entendrait même pas la sirène des pompiers.

Dans la salle de bains, le miroir confirme que j'ai une mine affreuse, et le thermomètre entérine ce que ma main sur mon front avait détecté : 38,1°. Je suis fiévreuse.

Quatrième SMS d'Elliot, je n'arrive pas à les ouvrir, à les lire, à faire l'effort de les comprendre et d'y répondre. Je me roule en boule dans mon lit, la couette coincée sous mes épaules, le sang bat à mes tempes. La fenêtre entrouverte laisse s'engouffrer les bruits de l'extérieur : une mobylette passe, des enfants crient, des gens discutent. Les bruits rampent le long des cloisons, quelqu'un quelque part enfonce un clou, fatalement quelqu'un d'autre perce un trou dans un mur, comme tous les samedis et tous les dimanches matin depuis que l'immeuble a été construit. Parfois, avec Thomas, on imagine qu'il s'agit d'une seule et même personne, son appartement serait une œuvre d'art constellée de chevilles, de crochets et de fixations diverses. Peut-être que, à force de percer les murs, il a dessiné une Monna Lisa ou refait *Le Radeau de la Méduse* de Géricault juste avec les chevilles en plastique que l'on glisse dans les trous pour maintenir les vis. Au collège, la prof d'arts plastiques a diffusé des images d'un artiste brésilien qui fait des choses dans ce genre : Vik Muniz, il reproduit des œuvres d'art célèbres avec des ordures trouvées dans les décharges, il fait des portraits de stars en chocolat ou à l'aide de petits jetons de toutes les couleurs.

Je me love, glisse la couette par-dessus ma tête, les sons s'estompent un peu, j'entends toujours des voix, un bébé pleure, un autoradio poussé au maximum inonde le parking de basses agressives, des oiseaux, le vent dans les branches, le cri – hululement ? – d'un rapace, des pas feutrés dans les fourrés, un cassement sec, le grincement d'un tronc qui frotte contre un autre tronc et le bruit de mes pas sur le bord de la route. Je suis revenue à Hokkaido.

Un chemin s'ouvre à ma gauche. J'ai les yeux embués de larmes et de la morve coule de mon nez. Je fouille mes poches à la recherche d'un mouchoir qui ne s'y trouve pas. J'ai l'impression qu'en coupant par là je vais gagner du temps : au loin la route tourne elle aussi sur la gauche ; je m'engouffre dans la forêt avec prudence. Le sol est plus humide, des rocs affleurent entre les flaques de boue, je tente de marcher sans me salir, mes jambes sont courtes, je m'énerve d'être aussi petit, aussi lent : en courant vite j'arriverais à temps au croisement plus haut, je rattraperais la voiture de mes parents, ils me verraient dans leur rétroviseur, ils auraient honte, ils auraient pitié, ils seraient saisis par le remords, ils s'arrêteraient, ils ouvriraient la portière, ils sortiraient de la voiture, ils me prendraient dans leurs bras, ils s'excuseraient d'avoir voulu se débarrasser de moi et la vie redeviendrait ce qu'elle n'aurait jamais dû cesser d'être : douce et rassurante.

Mais je cours mal, je me rends compte que je ne suis pas simplement un garçon, je suis aussi un petit garçon, j'avance trop lentement, je n'arrive pas à me laisser aller, c'est comme si une partie de mes mouvements étaient contrôlés par quelqu'un d'autre : j'évite les flaques, je prends garde à ne pas crotter mes tennis alors qu'il faudrait sprinter, m'extraire de cette prudence excessive.

Je réalise à cet instant qu'à part le cri qui m'a réveillée ce matin je n'ai pas ouvert la bouche. Je ne sais pas pourquoi je n'appelle pas. Je ne sais quelle retenue entrave mes mouvements. Si j'étais perdue en forêt, je crois bien que je hurlerais à m'en vider les poumons. Le petit garçon que je deviens dans mes rêves demeure lent et muet. C'est comme s'il n'autorisait pas sa peur à sortir de lui. Il garde tout. Il contient.

Un bruit dans les buissons, sur ma droite : une sorte de corbeau s'envole avec lourdeur et va se percher sur la branche d'un bouleau. Il se positionne de trois quarts et ne me quitte pas du regard. J'en frissonne. Il donne un coup de bec à la branche, le son résonne comme un avertissement : cet oiseau me menace, il me défie d'aller plus loin. La forêt est à lui, un garçon perdu n'a rien à faire là.

À petit trot retenu, je m'enfonce dans le chemin et – en même temps – je sais que ce «je» n'est pas moi. On ne replonge pas deux fois dans un même rêve, ce n'est pas possible. Ce «je» qui avance en reniflant le plus discrètement possible le long d'un chemin sombre est un enfant abandonné à l'autre bout de la planète. Dans un rêve, on ne sait pas que l'on rêve. Un jour, avec Elliot, on avait discuté de ces choses-là. On avait vu un film fantastique où les personnages s'égaraient dans leurs rêves jusqu'à ne plus savoir distinguer la veille du sommeil. Elliot m'avait dit que la différence entre la réalité et le rêve était dans la

29

continuité. Il avait lu ça quelque part. Quand on rêve, on change d'univers en permanence alors que l'on se retrouve toujours dans son lit au réveil. Si on reprend les rêves à l'endroit exact où on les a laissés la fois précédente, alors on ne peut plus faire de différence.

Elliot m'avait cité de mémoire une phrase de Philip K. Dick, un écrivain de science-fiction qu'il aime beaucoup : « *La réalité c'est ce qui continue d'exister lorsqu'on cesse d'y croire.* » *C'est la même chose avec les rêves*, avait-il ajouté. *Tu as beau croire qu'un rêve est réel, il disparaîtra forcément à un moment ou un autre, et seule la réalité restera.* Je n'avais rien répondu, impressionnée par sa culture.

Un bruit de moteur dans mon dos me fait me retourner trop tard : une voiture vient de passer sur la route, loin, très loin. J'ai le temps de penser qu'il faudrait faire demi-tour, qu'il ne faut pas que je perde la route de vue. Une bête grogne à quelques mètres, une bête que je ne parviens pas à voir mais que j'entends parfaitement. Elle est cachée quelque part entre la route et moi, je n'ai d'autre solution que de m'enfuir par le chemin boueux, en levant haut mes pieds pour ne pas trébucher contre une pierre. Enfin je cours, dans la mauvaise direction, mais je cours, et mon cœur tape vite et mon souffle est haché. Je me mouche entre deux doigts, une bête va me sauter dessus, j'ai peur, j'ai de nouveau très peur. Je tourne à gauche, puis à droite, et je continue sans vraiment regarder. Une brûlure subite à mon front me fait comprendre que j'ai quitté le chemin, une branche basse vient de me cingler le visage, je cours, peu importe la boue, peu importe de me perdre, je cours pour ne pas être dévoré,

et mon pied bute contre une pierre,

et je tombe en avant sans pouvoir me retenir,

je tombe si longtemps et si fort que je me réveille en sursaut.

Assise dans mon lit, je constate que ma fièvre a augmenté. Je grelotte, j'ai froid alors que je transpire. La fin du rêve, c'était exactement comme lorsque l'on tombe dans un puits dans son sommeil : une chute vertigineuse qui nous arrache à nos rêves. Le début d'*Alice au pays des merveilles*, je pense en souriant. Sans le lapin blanc, juste avec une bestiole mauvaise lancée à mes trousses. Je cesse de sourire quand je décide de répondre aux messages d'Elliot. Il est déjà 13 heures, j'entends ma mère discuter avec Thomas dans le salon, j'ai comaté toute la matinée. Quand je veux écrire, je réalise que mes doigts tremblent. Je dois m'y reprendre plusieurs fois avant de parvenir à expliquer que je suis malade, coincée dans mon lit. Je referme les yeux une seconde, la chambre tangue tout doucement, d'avant en arrière. J'ai vraiment attrapé un sale truc. Sauf que la fièvre est causée par le rêve, ce qui n'est pas très rassurant.

SMS d'Elliot, il me dit qu'il passera dans l'après-midi. Je lui réponds qu'il doit emporter une combinaison stérile et un masque à oxygène pour ne pas être contaminé.

Smiley en retour.

Enfin une bonne nouvelle ; je souris et j'entreprends la périlleuse expérience de me lever. Avec le vertige et le sol instable, ce n'est pas si évident.

Curieusement, je n'ai plus peur du rêve. Si je deviens un petit garçon perdu dans une forêt dès que je m'endors, cela doit avoir un sens. Je finirai bien par découvrir lequel.

Mon père est assis dans la cuisine, je n'avais pas entendu sa voix, il me tourne le dos pendant que ma mère et Thomas s'affairent à préparer le repas. Ils ne m'ont pas remarquée, j'avance en rasant le mur de peur que le vertige ne me reprenne. Il fait un temps magnifique dehors, je les observe tous les trois à contre-jour – la porte du balcon est grande ouverte. Le ciel de mai est si clair qu'il paraît blanc. Ma mère se rend compte de ma présence en premier, elle prévient mon père, qui se retourne vers moi et me regarde fixement.

Il est soucieux, cela se voit aux rides qui barrent son front, il a peut-être été confronté à des problèmes graves lors de sa permanence, je m'apprête à lui demander ce qui le tracasse quand il se lève, fait un pas dans ma direction et se met à crier.

Ce n'est plus possible, tu es insupportable, tu crois que l'on va te laisser faire ta crise sans réagir ?

Son regard me cloue sur place. Il ne joue pas, il ne fait pas semblant, il est furieux comme je ne l'ai jamais vu être furieux. Je tremble de tous mes membres, du regard je cherche de l'aide. Maman détourne les yeux, Thomas regarde ses pieds nus sur le carrelage.

Nous sommes obligés de te punir, enchaîne papa, *tu ne nous laisses pas le choix. Nous allons te laisser en pleine forêt et tant pis si un loup ou un ours vient te manger.*

Et le cri que je pousse me réveille d'un coup, je dormais encore, je dormais. Ma mère entre dans ma chambre sans frapper, elle touche mon front de la paume de sa main.

Tu es brûlante, elle me dit, *tu as encore fait un mauvais rêve ?*

Je secoue la tête, j'ai peur de retrouver sur son visage l'expression de défaite qu'elle affichait tout à l'heure. J'ai beau savoir qu'il s'agissait d'un rêve, j'ai du mal à me laisser aller. *Elle ne m'a pas défendue.* Cette pensée absurde occupe tout mon esprit. *Quand papa m'a fait descendre de la voiture pour m'abandonner au bord de la route, maman ne m'a pas défendue.*

Deux paracétamols, un baiser sur mon front chaud, les stores à moitié fermés et au lit. Voilà ce que ma mère a décidé. Je mangerai quand je sentirai venir la faim. Il me faut du repos, et si la fièvre ne tombe pas on ira voir le médecin lundi matin.

Il est à peine 13 heures quand je me recouche ; j'ai pris une décision, une décision claire et précise : je vais affronter le rêve.

Je ferme les yeux, j'attends. Le lit tangue très légèrement, des frissons me parcourent par vagues régulières. Sous la paume de mes mains, je sens ma peau chaude piquetée de chair de poule.

Je souffle lentement. J'évacue la peur, j'évacue l'inconfort de la fièvre. Très vite, le drap colle à mon corps, poisseux de sueur. J'ai prévenu Elliot que je préfère dormir toute la journée. Il m'a envoyé une pluie de ♥. Je sais qu'il peut comprendre.

J'attends et le sommeil ne vient pas. Je me blottis dans un coin du lit où le drap est encore frais. J'ai froid, j'ai chaud, j'écoute les bruits monter du parking, j'écoute mon frère aller et venir de l'autre côté de la cloison. Avec ma mère, ils attendent le retour de papa pour déjeuner.

J'entends aboyer un chien au loin, je ferme les yeux, l'aboiement s'estompe et une mouche vole dans ma chambre, frôle mon visage, s'éloigne, revient, bientôt imitée par deux ou trois autres insectes, mon pied écrase une branche morte. J'ouvre les yeux, il fait nuit,

j'y suis,

je suis revenue dans le rêve.

Je scrute l'obscurité autour de moi, elle n'est pas encore totale. Le soleil a dû se coucher il y a peu, la lune brille dans le ciel, j'arrive à voir où je mets les pieds. Tout autour, à une dizaine de mètres, la forêt s'agglomère en une masse ténébreuse, confuse, sans relief. J'avance avec prudence, une main tendue en avant pour éviter qu'une branche ou une ronce ne me griffent le visage. J'ai faim, j'ai terriblement faim. Je n'ai pas mangé depuis des heures. J'ai soif aussi. Sur ma gauche, une ouverture noire révèle la présence d'une mare ou d'un petit étang. Je m'en approche, mes chaussures s'enfoncent dans la vase, je sens l'eau glaciale mouiller mes chaussettes. En plus d'être affamée, j'ai très froid. Le petit garçon que je suis devenue se penche, je comprends qu'il va boire cette eau croupie, j'ai un sursaut de dégoût et – contre toute attente – cela fonctionne. Le garçon se relève. J'en tremble de joie : je peux agir sur le rêve. Je tente de lever le bras gauche, je sens que le garçon résiste, puis il cède, il est épuisé, il est terrifié, il n'a plus une once d'énergie : le bras se lève. Je pointe un index vers la lune, que le garçon regarde sans comprendre.

Je lève le pied gauche et le garçon lève son pied gauche. Je lève le droit et il m'obéit. Je saute, il parvient à peine à faire l'effort d'un bond. Il est épuisé, il marche depuis des heures, il n'a rien dans le ventre, je dois le ménager. Et d'abord, je dois l'aider à se mettre à l'abri, ses mains sont glacées, il tremble de froid. On a beau être fin mai, là où il se trouve, la nuit est bien plus fraîche qu'en France. Je note dans un coin de ma tête qu'il faut que je me renseigne sur les températures moyennes au Japon, ainsi que sur le décalage horaire. Il fait nuit dans le rêve alors que ce doit à peine être le début d'après-midi chez moi.

J'accepte toutes ces choses sans problème. Je n'ai plus peur pour moi, j'ai peur pour le garçon. J'accepte le fait que le rêve soit vrai, c'est la troisième fois que je le retrouve depuis ce matin, ce n'est pas plus improbable que lorsque je sais où papa a égaré les clés de la voiture ou lorsque je devine mes notes avant que les professeurs ne me rendent mes copies.

Ce sont des choses qui arrivent.

Ou plutôt : ce sont des choses qui m'arrivent.

En faire la liste serait terriblement long.

Seul Elliot est au courant, j'ai une absolue confiance en lui.

Le jour où – du bout des lèvres – j'ai commencé à lui raconter que je savais retrouver des choses perdues ou deviner certaines pensées, j'étais chez lui, dans sa chambre. Il a dit *Bon*, il m'a proposé de choisir un objet, j'ai pris les jumelles avec lesquelles il aime bien regarder les étoiles. Il m'a demandé de sortir de sa chambre un instant. J'ai patienté dans le couloir, sa mère qui se trouvait dans le salon a relevé la tête du magazine qu'elle lisait, elle m'a souri. Quand Elliot m'a invitée à revenir dans la chambre, il m'a mise au défi de retrouver les jumelles. Je n'ai pas réfléchi, j'ai désigné son oreiller.

Forcément, elles étaient dessous.

Il m'a redemandé de sortir, re-sourires avec sa mère, retour dans la chambre, j'ai pointé du doigt le tiroir du haut de son bureau. Bingo.

Troisième tentative, sa mère a voulu savoir si tout allait bien, j'ai dit que l'on jouait, elle a levé les yeux au plafond, j'ai haussé les épaules, on s'est tout de même adressé un sourire. De nouveau, je suis entrée et j'ai montré un tas de vêtements au sol.

Les jumelles s'y trouvaient.

L'expérience s'est arrêtée là.

Une fois, c'est une coïncidence, a dit Elliot. *Deux fois, une chance terrible. Trois fois, une preuve.*

Et après un temps assez long, il a ajouté : *Tu es géniale.*

Mon frère, lui, a tiré une autre conclusion à mon sujet. Il me trouve flippante. Je ne lui ai jamais montré ce dont je suis capable, mais il a compris certaines choses. Quand papa tourne en rond en s'agaçant de ne pas retrouver son portefeuille, que nous sommes très en retard, je ne peux m'empêcher de lui demander s'il a regardé dans la poche intérieure de sa vieille veste. Celle dont la doublure est déchirée. Papa est tellement content de retrouver ses affaires qu'il ne veut pas savoir comment j'ai mis dans le mille. Thomas, par contre, fronce les sourcils en me regardant. Parfois, il fait le signe de la croix pour m'énerver. Un jour, il avait accroché une tresse d'ail sur la porte de ma chambre.

Je l'ai vu sursauter lorsqu'il m'aperçoit par surprise alors qu'il pense que je suis dans ma chambre ou dehors. Et j'avoue que je ne fais rien pour le rassurer, il n'a qu'à pas m'appeler *Poids plume* et s'en prendre tout le temps à moi.

Je ne sais pas si je suis flippante ou géniale, je devine des choses que je ne suis pas censée savoir, c'est tout et ça ne m'a jamais inquiétée ou posé problème. Tout comme j'admets maintenant que mes rêves me conduisent à vivre la vie d'un garçon à l'autre bout du monde.

Parce que je sais que ce garçon existe, c'est aussi simple que de savoir respirer ou de savoir que la boucle d'oreille en or de maman est sous le coussin rouge du canapé. Ce garçon existe et il a besoin de mon aide. Pourquoi je suis reliée à lui, j'aurai le temps d'y penser plus tard, il y a urgence : si je ne fais rien il va mourir d'hypothermie ou de faim, ou il va tomber dans un des nombreux étangs de cette forêt et se noyer.

Mes rêves ont un sens, je dois l'accepter : j'ai un garçon inconnu à sauver.

Un craquement fait bondir le garçon, quelque chose de lourd vient de détaler à travers les buissons, quelque part à gauche. Paniqué, le garçon se met à courir, il me faut toute ma volonté pour le forcer à s'arrêter. La cohabitation se révèle difficile, dès que je relâche un peu mon attention, il reprend le contrôle de ses muscles.

Nous arrêtons de courir, et nous respirons amplement. Je le maintiens immobile jusqu'à ce que son cœur retrouve un rythme normal. Le garçon accepte de plus en plus facilement ma présence invisible. Peut-être est-ce la fatigue ? Avec lui, je tresse un *nous*. Nous sommes deux dans un seul corps. J'ai peur qu'il ne s'évanouisse, il est faible, très faible, je sens son estomac noué, il risque de s'effondrer à tout moment. La fraîcheur de la nuit ne l'épargnera pas.

Nous effectuons un tour à 380° sur nous-même. Je ne vois rien : des troncs noueux, des sortes de longues plantes grasses, des broussailles et l'obscurité. Nous levons les yeux : la lune est de plus en plus basse, elle va disparaître dans peu de temps, alors il fera nuit noire et nous ne pourrons plus avancer au risque de heurter des arbres ou de tomber dans l'eau, voire de glisser dans un trou ou un ravin. J'ai vu des montagnes au loin ce matin, les chemins montent et descendent, la région est escarpée, dangereuse.

Le garçon lutte encore contre ma présence, il veut courir, sa peur cherche à m'envahir. Je sens ses pensées contaminer les miennes, des pensées d'enfant paniqué, des pensées dont je ne comprends pas la langue mais dont je perçois nettement la signification.

Nouveaux craquements. Au loin, un cri, suivi de ce qui ressemble au hurlement d'un loup. Le garçon se raidit et – un court instant – je le perds. C'est comme si j'allais tomber, je me sens aspirée vers le sol, je comprends que je vais quitter le rêve, je vais chuter dans un puits et je vais me retrouver dans mon lit, en sueur. Je ne sais comment j'arrive à retrouver mon équilibre. Avec précaution, je réintègre le rêve. Je suis parvenue à ne pas me réveiller en sursaut.

Je dors.

À nouveau, je force le garçon à se calmer.

Nos cœurs battent plus lentement.

Plusieurs hurlements s'entremêlent, ils sont loin, j'ai l'impression d'entendre un aboiement, des branches se tordent, des feuilles s'écartent, des choses bougent, il ne faut pas que nous demeurions immobiles. Je me concentre, j'aimerais appeler au secours, j'aimerais que mes parents soient là, j'aimerais avoir une lampe, une carte, un GPS, j'aimerais ne pas avoir à prendre soin d'un enfant terrifié, j'aimerais que le rêve n'existe pas.

Soudain, je sais qu'il faut prendre vers la droite. Je ne sais pas comment je le sais et je n'ai pas le temps de me poser la question. Avec précaution, nous commençons à avancer. Le garçon tend ses mains en avant pour écarter les obstacles, il marche sans courir, je l'encourage, je chantonne un truc idiot, une comptine de mon enfance, je lui dis que c'est bien, qu'il est fort, qu'il va s'en sortir. Je crois qu'il ne m'entend pas. Il ne perçoit pas ma présence. C'est sans doute une chance : déjà qu'il est perdu en pleine forêt, abandonné par ses parents, il ne manquerait plus qu'il se sente possédé par l'esprit d'une ado française.

À plusieurs reprises, des branches s'accrochent dans ses vêtements, il avance tout de même. Sa manche gauche se déchire, ses pieds mouillés sont glacés, j'ai peur qu'il n'attrape des engelures, les hurlements se sont éloignés, nous sommes seul dans la nuit, nous pourrions être seul au monde.

Un pas,

tout va bien se passer,

un autre pas,

tout ira bien,

encore un pas,

c'est bien,

et un pas,

nous avançons lentement. J'ai peur de m'être trompée, j'ai peur que mon intuition ne mène nulle part. Je ne joue plus à deviner où se trouve un objet ou à prévoir un chiffre sur une copie d'interrogation écrite, une vie est en jeu. Pour la première fois de mon existence, je me demande si je ne m'abuse pas toute seule : mon don n'existe pas, ce n'est pas possible, je suis juste une mytho qui entraîne un garçon vers la mort.

Je doute jusqu'au moment où l'espace semble s'entrouvrir. L'obscurité est de plus en plus forte, nous nous penchons : le sol est tassé. Nous sommes sur un chemin. Un animal passe dans notre dos, nous courons droit devant, aussi vite que le peuvent nos jambes épuisées. Je sens des petits nuages de vapeur s'échapper de notre bouche, nous avons la gorge si sèche qu'avaler notre salive est une douleur terrible.

Très vite, un portail grillagé barre le chemin, nous l'apercevons à la dernière minute et manquons de peu de le heurter de plein fouet. Je n'ai pas fait d'erreur, une profonde joie me submerge. Je guide l'enfant vers la droite ; là, l'enceinte a été vandalisée sur un bon mètre de hauteur, le garçon se glisse sans s'accrocher. Nous trébuchons et dévalons un petit talus herbeux sans nous blesser. Au-delà, le sol est goudronné. Je devine plus que j'aperçois un alignement de bâtiments ronds, des baraquements en forme de demi-bidons ; à bout de force, nous avançons vers le premier, le garçon tente de se débarrasser de mon emprise pour aller directement à la porte, mais j'ai repéré quelque chose de précieux à l'angle de la première construction, une chose inestimable : un robinet.

Nos cœurs battent à tout rompre quand le garçon tourne le robinet. Un dixième de seconde, il ne se passe rien, absolument rien, et une colère terrible nous envahit, puis le tuyau sur lequel est fixé le robinet tremble un peu, et un mince filet d'eau coule,

un mince filet de vie,

et le garçon s'arrache presque à mon contrôle pour bondir en avant,

je ressens à nouveau un vertige, la chute en avant qui annoncerait mon réveil,

je m'accroche,

je retiens sa main,

c'est une torture terrible mais il faut laisser couler l'eau quelques secondes avant de la boire,

je pense à tous les microbes qui ont pu se développer dans les tuyaux,

je réentends mon père me dire de laisser couler l'eau une minute quand nous retrouvions chaque été la maison de mes arrière-grands-parents après onze mois d'absence,

par sécurité, purge les tuyaux avant de boire,

l'eau coule encore huit,

neuf,

dix secondes,

et le garçon m'échappe,

il boit,

trop vite,

s'étouffe,

l'eau est glaciale,

elle nous fait mal aux dents,

le garçon tousse,

remet plus lentement sa bouche sous le filet,

il boit à petites gorgées,

l'eau parcourt notre corps, hydrate nos muscles, déploie tout ce que la fatigue et le désespoir avaient compacté dans nos organes et nos membres.

Brusquement, un haut-le-cœur secoue le garçon, il s'étouffe deux ou trois secondes, vomit un mince jet de bile, se rince la bouche, boit encore un peu.

Quand nous relevons la tête, la nuit est totalement tombée. Être à découvert permet de voir le ciel, immense, infini, piqué de millions d'étoiles. Par habitude, je cherche les quelques constellations qu'Elliot m'a appris à reconnaître. Les étoiles, c'est son truc à Elliot. Il connaît la carte du ciel sur le bout des doigts. Bien entendu, je n'arrive à situer aucune étoile, le ciel du Japon n'est pas le même que celui de la France. Je me sens si loin de chez moi. Les larmes montent à nos yeux. J'ai juste envie de me recroqueviller au sol, de me pelotonner et d'attendre que ce cauchemar cesse. Sauf que nous tremblons de froid, nous avons de la fièvre. Boire a réveillé la faim, nos ventres sont durs et douloureux. Nous devons continuer à nous battre.

Aussi facilement que l'eau a coulé du robinet, la porte du bâtiment le plus proche s'ouvre sans difficulté. Tout ici paraît abandonné et – paradoxalement – en bon état. Nous tâtonnons dans le noir le plus complet. Notre main entre en contact avec une barre métallique. Le pied d'un lit! Un lit d'une personne sur lequel est pliée une couverture. En tremblant, nous la jetons sur nos épaules, nous nous enroulons tant bien que mal et continuons notre exploration du lieu. Nos pas rendent un léger écho sur le sol en béton. À deux mètres du premier lit, un autre lit, et ainsi de suite. Nous sommes trop épuisé pour aller jusqu'au bout du bâtiment. De l'extérieur, sous les lueurs des étoiles, il semblait faire une bonne vingtaine de mètres.

À bout de forces, nous nous allongeons sur le tout premier lit, après avoir vérifié que nous avons refermé la porte derrière nous. Le matelas sent le moisi, l'air pue la poussière, la couverture pue le vieux et le renfermé. Peu importe, nous sommes en sécurité, nous ne mourrons pas de froid dans la forêt, ni dévorés par les loups entendus au loin.

Sitôt allongé, le garçon se relâche. Il me faut toute la force de persuasion dont je suis capable pour l'obliger à se redresser, à ôter ses baskets et ses chaussettes trempées, à frictionner nos pieds pour éviter les engelures.

Nous nous rallongeons et nous enveloppons dans la couverture dont les fibres grattent et piquent. Une dernière pensée sur les puces ou les araignées qui vont peut-être profiter de notre sommeil pour venir nous mordre, et nous sombrons profondément, si profondément que je me sens tomber d'un coup et que je me réveille en sursaut dans ma chambre.

J'ai la gorge en feu, une soif terrible, il me faut une bonne minute avant de parvenir à me lever de mon lit. Personne dans le couloir, personne dans le salon, personne dans la cuisine. Par habitude, je cherche sur la table un mot laissé par ma mère. Rien. Tant pis, je bois un grand verre d'eau, pars vérifier ma température dans la salle de bains.

38,2°. Il est presque 16 heures au réveil posé sur l'étagère parmi les lotions, les fioles et certaines choses qui n'ont rien à faire là (un Spiderman articulé qui a appartenu à Thomas, par exemple ; il a été oublié il y a au moins six ans sur cette étagère et n'en a plus jamais bougé). Trop tôt pour reprendre un comprimé.

La lumière de l'extérieur agresse mes rétines, je m'affale sur le canapé. Je suis heureuse que tout le monde soit sorti, je profite du calme et de la solitude. La tablette m'apprend que le décalage horaire avec le Japon est de sept heures. Il est maintenant 23 heures là-bas, le garçon dort, je peux le laisser tranquille. Mon estomac gargouille, j'hésite un instant : je ne sais pas si je suis vraiment affamée ou si j'éprouve encore la sensation de faim du garçon. Dans le doute, je me relève, ouvre le frigo. Maman m'a fait du riz ; sur le récipient elle a collé un Post-it m'indiquant que papa est retourné à sa permanence, qu'elle est partie faire quelques courses et que Thomas ne rentrera pas avant ce soir. Si je me réveille, je peux me faire réchauffer un peu de riz, et je ne dois pas oublier de boire. J'adore ma mère, c'est la seule mère au monde capable d'écrire un long message à sa fille malade puis de le cacher dans le frigo par étourderie.

Pendant qu'un bol de riz fait des ronds dans le micro-ondes, j'entre *télépathie* dans le moteur de recherche de la tablette. 598 000 réponses en 0,59 seconde. En pensant aux cris d'effroi que pousserait ma professeure de français, j'ouvre Wikipédia.

La télépathie, du grec τηλε, *tele (distance, loin), et* πάθεια, *patheia (sentiment, ce que l'on éprouve), désigne un hypothétique échange d'informations entre deux personnes n'impliquant aucune interaction sensorielle ou énergétique connue.*

Plus bas, des images new age ou kitsch représentent des cerveaux reliés par des éclairs bleutés. Les premières entrées renvoient à des sites très sérieux de neurologie comme à des blogs plus ou moins ridicules et loufoques qui entretiennent l'hypothèse paranoïaque que l'on nous cache la vérité.

D'un bing, le micro-ondes m'appelle. Je ne trouverai pas sur Internet la solution à ce que je suis en train de vivre, alors je laisse tomber mes recherches.

Lovée dans le canapé, je mâche lentement le riz par petites bouchées en consultant mes messages, ou plutôt mon message : Elliot à 15 h 30 qui m'envoie un cœur et me dit que, le ciel étant dégagé, il va sur Jupiter ce soir. Je lui envoie un smiley *navette spatiale* et lui écris qu'il a bien raison, pour ma part je vais me contenter de mourir toute seule très lentement.

Depuis le printemps, il s'est inscrit à un club d'astronomie, ils organisent des sorties de temps en temps, embarquent des télescopes et profitent d'un alignement de planètes ou d'une proximité avec Mars pour aller observer le ciel. Je ne l'ai jamais accompagné, je crois que mes parents ne s'y opposeraient pas, mais je n'en ai pas envie. Le ciel, c'est son truc. Je préfère qu'il me raconte ses observations des météorites plutôt que de passer une nuit entière l'œil rivé à une lunette astronomique.

Bien que je sois tentée, je ne lui dis rien au sujet du petit garçon. C'est encore trop frais, je ne suis pas sûre de comprendre. J'ai besoin d'un peu de temps.

Je reçois un smiley *ambulance*, suivi d'un smiley *infirmière*. Je souris.

Demain, si j'en crois le site *sunrise-and-sunset.com,* au Japon, le soleil se lèvera à 4 h 29 et se couchera à 18 h 48. Cela veut dire qu'il fera vraiment jour une heure plus tard, vers 5 h 30. Si je veux aider le garçon, je dois donc m'endormir vers 22 h 30 ce soir. Je le retrouverai au moment précis où la lumière le réveillera.

Avant même qu'il ouvre la bouche, je comprends que papa est bouleversé, il suffit de plonger mes yeux dans les siens. Une flamme brûle dans ses pupilles. Je n'ai pas quitté le canapé, il se penche vers moi, me demande comment je me sens. Il a tellement de colère en lui que j'en sursaute. C'est comme s'il était précédé d'une bouffée d'air bouillonnant. J'assemble un sourire, je réponds que j'ai encore de la fièvre, que j'ai repris du paracétamol. Et j'ose un tout petit : *Et toi ?*

Mon père se tait une seconde, je le vois en double : je veux dire que je le vois tel qu'il est vraiment, grand, le front de plus en plus dégarni, le visage tendu et inquiet, mais que par-dessus se superpose une autre image de lui, une sorte de boule rouge d'exaspération et d'impuissance. Quand il se met enfin à parler, c'est comme l'éruption d'un volcan. *Le maire a ordonné l'évacuation,* dit-il, et sa voix vibre de détresse.

Depuis plusieurs mois, un squat de migrants s'est installé dans un ancien centre commercial désaffecté, proche d'une ligne de tramway. Dès l'installation des premiers réfugiés, papa s'est rendu sur place, il a discuté avec ceux qui comprenaient un peu le français, il a contacté Médecins du monde et des réseaux de bénévoles pour leur apporter des soins, les aider dans leurs démarches administratives, et surtout pour prendre en charge au mieux certains très jeunes migrants probablement mineurs. Tout cela n'a pas été sans faire des vagues dans le quartier. Il y a eu des plaintes, la police est intervenue pour constater le squat, les propriétaires des locaux – pourtant désaffectés depuis deux ans – ont demandé à la mairie d'intervenir. Heureusement, des habitants ont aussi réagi avec cœur et humanité. Papa a l'habitude de dire que les choses s'équilibrent : pour chaque personne qui râle et qui menace, il y a une personne qui aide et qui soutient. Les voisins ont offert des matelas, des vêtements, des couvertures, de la nourriture. La Banque alimentaire est intervenue. Des retraités du quartier ont proposé des cours d'apprentissage du français. Petit à petit, le squat s'est étoffé, il accueille maintenant une grande vingtaine de migrants. La presse a évoqué une poudrière à cause des nationalités représentées : Soudan, Sierra Leone, Syrie, Bangladesh, Pakistan. Ce qui est épuisant, c'est que les gens parlent sans savoir. Ils voient un étranger, ils pensent à un terroriste. Ils ne comprennent pas que certains migrants ont fui les mêmes terroristes qui nous menacent. Les gens se rassurent en mettant tout le monde dans le même sac. Rien que le terme, migrant, donne des boutons à papa. *Il n'y a pas un profil type de migrant, répète-t-il souvent. Des gens quittent leur pays pour mille raisons : pour sauver leur vie, pour manger, pour vivre décemment, pour fuir des persécutions, à cause d'une pénurie, à cause de la religion, à cause de leur orientation sexuelle...*

Les causes sont multiples, complexes, et le mot migrant laisse penser qu'ils se ressemblent tous, qu'ils ont tous la même histoire.

Lundi matin, la police viendra évacuer le squat, explique papa. Cela fait des mois qu'il affronte certains membres du conseil municipal hostiles à la présence des réfugiés. Des mois d'engueulades, d'explications, de pétitions, d'argumentations, de prises de bec. Papa n'est pas isolé au sein des élus, mais il a vraiment pris les choses à cœur. Le maire, lui, a assisté aux échauffourées sans vraiment prendre parti. Comme de trop nombreux maires, il reste prudent et attend de voir où se situe son intérêt. Il semble que les opposants au squat aient fini par le convaincre. Papa enrage, il a la soirée et la journée de demain pour aider une vingtaine de personnes à trouver de nouveaux hébergements. Il me dépose un bisou sur le front, recule en me faisant remarquer que j'ai vraiment de la fièvre. Comme je lui réponds en douceur que c'est ce que je lui ai expliqué il y a cinq minutes, il se tait, maladroit et empêtré. *File,* je dis, *tu as mieux à faire que de veiller ta fille mourante.* À son visage, je comprends qu'il est trop préoccupé pour décrypter l'humour, alors je rajoute que je vais bien, que c'est sans doute un virus. Au pire, c'est la grippe, ça arrive, même à quelques jours de l'été.

D'un bond, papa disparaît, non sans m'avoir recommandé de rester au chaud.

Après son départ, la tension baisse subitement. Je suis de nouveau seule avec mes pensées, mon inquiétude, ma forêt lointaine. Maman a une théorie sur papa (maman a pas mal de théories sur pas mal de personnes) : d'après elle, il n'a pas de défenses immunitaires contre l'empathie. Elle raconte souvent que la première fois qu'il l'a invitée au restaurant, il a remarqué un type couché dans la rue, il a passé sa soirée avec les pompiers et le Samu social, ils n'ont pas mangé, et elle est tombée follement amoureuse de lui.

Le reste de l'après-midi se déroule entre coma et hébétude et je lis tout ce que je peux trouver sur l'île de Hokkaido. Les photos que je découvre sont magnifiques. J'aimerais localiser avec plus de précision le petit garçon, sauf que l'île est grande, couverte à plus de 70 % de forêts et qu'elle abrite six gigantesques parcs nationaux. Le garçon peut être n'importe où. À supposer qu'il existe réellement et que je ne sois pas en train de me faire un film.

Pour vérifier l'origine des hurlements, je tape *loup* + *hokkaido* sur le moteur de recherche. J'apprends que le loup a bien été présent sur l'île, mais que l'espèce s'est éteinte. Je ne trouve aucun article évoquant une hypothétique réintroduction de loups dans les parcs naturels. Il se peut que j'aie mal entendu ou mal interprété les hurlements dans le rêve. Par contre, je tombe sur un site qui répertorie les espèces les plus dangereuses du pays : des frelons géants de cinq centimètres de long, une vipère nommée *habu*, le *mukade*, mille-pattes à la morsure très douloureuse pouvant mesurer jusqu'à vingt centimètres de long, et les ours, nombreux sur l'île.

J'éteins la tablette, je regrette d'avoir fait cette recherche. Je me rassure en me disant que si l'on fait la même recherche pour la France on aura toute une liste de bestioles plus ou moins répugnantes et dangereuses que – pourtant – on ne croisera jamais dans sa vie.

Sauf si on est tout seul en pleine forêt, évidemment.

Lentement, comme si j'avais du verre brisé dans chaque articulation de mon corps, j'aide ma mère à préparer le repas. Elle a insisté pour que je me couche, j'ai refusé, je ne veux pas dormir quand le garçon dort. Si je dois l'aider, il faut que je m'accorde à ses rythmes, que je vive avec sept heures de décalage. Papa ne rentre pas dîner, Thomas va à une soirée avec Klara (depuis qu'ils sortent ensemble ces deux-là, Thomas déserte la maison tous les samedis soir). On parle de choses et d'autres, de l'expulsion des réfugiés, bien entendu, du maire qui n'est pas un sale type quand on le connaît un peu, juste quelqu'un qui manque terriblement de courage. Quelqu'un qui a tellement peur de ne pas être réélu qu'il finit par accumuler lâcheté sur lâcheté.

Je fais ce que je peux pour masquer mes tremblements de fièvre. On finit devant un DVD, un vieux film avec Clint Eastwood dont ma mère a toujours été un peu amoureuse ; il me faut lutter pour ne pas m'endormir, j'arrive à tenir jusqu'à presque 22 heures. À l'écran, Clint conduit un bus blindé dans les rues de Phoenix alors que des milliers de policiers tirent des millions de balles dans sa direction. Et je craque, je ne tiens plus, je me doute bien que le beau Clint gagnera à la fin. Une boule d'appréhension dans le ventre, je vais me coucher. Je ne sais plus si j'espère retrouver le garçon ou si j'ai juste envie de sombrer pour une dizaine d'heures dans un tunnel noir sans fond.

Allongée, je sens le vertige revenir, sans doute n'était-il jamais parti, il demeurait en lisière, à la limite du perceptible. Une brutale bouffée de chaleur rend ma peau moite. Le contact avec la couette m'irrite, je la rejette. Je me demande sérieusement si je vais retrouver le garçon et pourquoi je suis liée à lui. Pourquoi je rêve que je deviens un garçon et pas une fille. Un Japonais et pas une Française. Tout cela n'a aucun sens, aucun. D'un bond, je me relève et je fais quelques pas dans le dortoir silencieux. La lumière passe par des fenêtres percées de part et d'autre de l'entrée ainsi que tout le long du bâtiment. Hier soir, malgré l'obscurité, je ne m'étais pas trompée : la pièce où j'ai dormi est bien un demi-cylindre, elle accueille vingt lits de camp, deux rangées de dix, chacun disposant d'un matelas gris foncé et d'une couverture soigneusement pliée en carré. Avec hésitation, j'appuie sur l'interrupteur : les néons ne s'allument pas. L'électricité est coupée. La pensée qu'heureusement l'eau ne l'a pas été me fait prendre conscience à quel point j'ai faim et soif.

Dehors, je suis obligée de protéger mes yeux tellement le soleil est vif. Il fait très froid, pourtant. Je bois de petites lampées d'eau glacée, je ne veux pas m'étouffer comme hier. C'est en regardant mes mains sales et engourdies que je réalise que je suis de nouveau en train de rêver. Je me suis endormie, j'ai retrouvé le garçon. Reprenant la couverture qui garde encore la chaleur de notre corps, nous faisons un tour de reconnaissance de l'endroit où nous avons dormi. Un panneau est vissé sur le portail, nous rampons sous le grillage pour aller l'examiner. Je laisse le garçon lire pour moi, je comprends à travers ses yeux. Nous avons passé la nuit dans un camp militaire. Il est écrit que l'accès est strictement interdit à toute personne non autorisée.

Très bien, nous nous autorisons à nous reglisser sous le grillage. Le ciel est d'une pureté absolue ; au loin des oiseaux chantent. Je force le garçon à ne pas bouger, j'espère entendre un bruit humain : des moteurs sur une route, des bûcherons qui tronçonnent des arbres, un tracteur. C'est trop tôt, seule la forêt s'est réveillée. Un bref cri nous fait sursauter. Une lutte rapide agite des buissons de l'autre côté de l'enceinte. Un second cri très court retentit, puis le silence se fait. Un animal est mort à quelques mètres, tué par un autre animal. Nous frissonnons. La forêt est un monde de luttes invisibles, de chasses et de combats. Les animaux ne connaissent jamais la paix.

La base comporte quatre bâtiments noirs et cylindriques identiques à celui où le garçon a dormi. Peut-être trouverons-nous de la nourriture ou un moyen d'appeler à l'aide. Je veux en commencer l'inventaire tout de suite, mais le petit garçon s'arrête. Je comprends que notre vessie est douloureusement pleine. Je voudrais bien fermer les yeux un instant et laisser le garçon seul, mais je suis en lui, rivée comme le bernard-l'hermite est engoncé dans sa coquille. Pour la première fois de ma vie, j'accomplis une chose qu'une fille n'aurait pas pensé faire un jour : je fais pipi debout contre le tronc d'un arbre.

Les portes des trois autres bâtiments sont verrouillées. L'un d'eux abrite un dortoir identique à celui dans lequel le garçon a dormi. Un autre ne contient visiblement que des tables et des chaises. Le troisième est vide, entièrement, totalement, désespérément vide.

Et j'ai faim,

le garçon a faim,

nous avons faim,

une faim atroce qui nous tord le ventre, noue l'estomac, remonte assécher la bouche, empêche le cerveau de penser à autre chose qu'à la faim.

À l'aide d'une pierre, il serait possible de briser une vitre et d'entrer dans n'importe quel bâtiment, sauf qu'aucune caisse, nulle part, ne peut donner l'espoir qu'un peu de nourriture soit stockée à l'intérieur de la base.

Nous rebuvons un peu d'eau, elle nous donne l'illusion de remplir notre ventre. Je force le garçon à nettoyer ses mains et son visage. L'eau est si froide que je finis par ne plus sentir nos doigts. On verra plus tard pour le reste de la toilette, si le soleil parvient à réchauffer l'atmosphère.

Je n'ai aucune idée de l'heure qu'il peut être, nous écoutons de nouveau le faux silence de la forêt avec l'espoir de repérer un indice d'activité humaine. Des insectes bourdonnent, des oiseaux trillent, des branches se balancent, des bêtes fouillent les buissons, un léger vent inexistant au sol froisse les plus hautes feuilles. Nous sommes seuls. Je regarde la forêt de l'autre côté du grillage. Je me demande ce que ferait Robinson Crusoé à ma place. Nous sommes naufragés dans une base militaire au cœur d'un vaste espace naturel sauvage. Robinson saurait déterrer des racines qui se mangent, trier les baies comestibles des baies toxiques ou vénéneuses. Hier, je pense avoir aperçu des champignons. Robinson saurait s'ils peuvent apaiser notre faim ou nous tuer lentement.

Je ne suis pas Robinson, je ne connais rien aux plantes, aux herbes, aux fruits, j'accompagne mes parents faire les courses au marché ; parfois on va dans une grande surface, je trouve ce qui se mange dans des bacs réfrigérés, protégés par des emballages sous vide, ou dans des boîtes, des bocaux, des briques alimentaires. Je reconnais les fruits et les légumes comestibles parce que leur nom est inscrit sur une étiquette à côté d'un numéro dont il faut se souvenir pour les peser soi-même sur les balances automatiques avant de passer en caisse.

Je réentends ma mère se moquer gentiment de moi la semaine dernière parce qu'elle m'a demandé de prendre deux courgettes dans le réfrigérateur et que je lui ai donné deux concombres.

Je suis nulle et archinulle, il y a une erreur quelque part, si j'ai été choisie pour protéger le petit garçon, ceux qui m'ont désignée se sont trompés, je ne sais rien qui puisse l'aider, il va mourir de faim et ce sera ma faute.

Nous sommes assis sur le sol de terre battue, de la poussière jaunâtre recouvre nos mains. Nous regardons le soleil monter dans le ciel et nous pleurons, nous pleurons toutes les larmes que peuvent contenir nos deux corps associés.

Embarrassée et penaude, j'ai aidé le garçon à se déshabiller, à se laver entièrement sous le filet d'eau glacée du robinet, à se sécher avec l'une des nombreuses couvertures trouvées dans le bâtiment et à se rhabiller. Les fibres sèches et rudes des couvertures ont un peu irrité notre peau, mais au moins nous sommes presque propre. Changer nos vêtements ne serait pas un luxe, pas plus que manger maintenant un vrai repas.

Rien qu'à l'évocation du mot *repas*, je sens la salive envahir notre bouche. Une salive un peu âcre et acide, au goût étrange, presque métallique. Il faut que je détourne le garçon de ce genre de pensées. Nous refaisons un tour de la base dans l'espoir de découvrir une chose qui nous aurait échappé : un soupirail qui ouvrirait sur une cave remplie de rations de survie, par exemple. Un téléphone. Des fusées de détresse, comme dans les films (et même si je redoute mon incapacité à savoir les tirer).

Le soleil est maintenant pile au-dessus de notre tête, il doit être aux alentours de midi, c'est-à-dire 5 heures du matin chez moi, là où mon vrai corps fiévreux dort dans mon vrai lit. Dans trois ou quatre heures, peut-être avant, je vais me réveiller et le garçon sera de nouveau seul. Le site où a été installée la base militaire est un peu encaissé, sur les pourtours poussent de hautes plantes vert tendre aux grandes feuilles. J'ai osé en déterrer quelques-unes, nous avons lavé les racines et nous les avons mâchées lentement. Le goût était celui de la terre, du fade. Les fibres craquaient. C'était un peu comme manger des endives sans assaisonnement. Je n'ai pas osé en prendre plus de trois, j'attends les résultats, j'épie les réactions de notre corps en espérant que nous ne serons pas malade. Je ne sais pas ce que je pourrais faire si le garçon attrapait une dysenterie où s'il se mettait à vomir.

J'ai l'impression de lui avoir placé une bombe dans l'estomac. Pourtant, il ne semble pas affecté : nous avons encore faim, nous sommes faible, nous avons peur. Au moins, nous ne pleurons plus. Je ne dois plus me laisser aller, je dois être forte, très forte. J'aurai tout le temps de pleurer quand je me réveillerai, dans mon immeuble confortable, entourée de mes parents qui m'aiment.

Nous avons beau fouiller avec attention, la nouvelle visite du camp ne donne rien : pas de souterrain providentiel, pas de boîtes de conserve oubliées dans un coin. Juste quatre bâtiments, un robinet qui donne sur un bac, des pylônes surmontés de lampes éteintes, le mât qui doit servir à hisser un drapeau. Et des kilomètres de forêt dense et sombre alentour, des entrelacements d'arbres, de menaces, de bruits inquiétants et de malheur.

Au soleil, le dos contre les tôles du baraquement, nous attendons. Des images confuses remontent vers moi : le garçon se levant hier, le garçon dans la voiture à côté de sa grande sœur qui ne répond à aucune de ses questions, murée qu'elle est derrière ses écouteurs et l'écran de son téléphone. Je revois le garçon faire des choses idiotes que font les garçons, il marche à côté de ses parents et jette des cailloux, il vise un vélo qui passe, puis une voiture, et une gifle n'arrive pas à lui faire baisser le regard. Il y a quelque chose de dur et de douloureux chez ce garçon, une blessure qui date de bien avant l'abandon en pleine forêt par ses parents. Je ne peux pas lire ses souvenirs, je saisis juste au vol des images fugitives. C'est difficile à comprendre comme à expliquer. Je n'entends ni ne lis ses pensées, je vois parfois une scène, un éclat de souvenir, tout est confus, tout est loin, tout est flou, mais ce que je vois me met mal à l'aise : le garçon se bat, le garçon casse volontairement un verre, le garçon frappe un autre gar-çon. Il transporte un mal-être qui ne sait s'exprimer que par les coups et la désobéissance.

Je m'imagine le rencontrer dans d'autres conditions – des conditions normales, je veux dire –, je crois que je ne le supporterais pas deux minutes.

Un grognement lointain nous fait sursauter. Je ne veux plus chercher où se situent les blessures intérieures du garçon, c'est dans le présent que je suis coincée avec lui. Nous scrutons les arbres à la recherche d'un mouve-ment, nous demeurons immobiles dix, vingt, trente secondes, et aucun nouveau cri ne vient troubler notre résignation. Nous sommes bel et bien abandonné dans un coin perdu.

Il y a un souvenir qui est si fort que je peux l'examiner sans avoir à le chercher : c'est quand le père du garçon a freiné brusquement, a ouvert la portière et a dit que c'était fini maintenant, que le garçon était trop méchant, qu'il n'aurait qu'à se débrouiller tout seul en pleine forêt.

C'est une scène pour un film ou pour un roman terrible sur la maltraitance, une chose que je n'arrive ni à croire ni à comprendre : des parents qui obligent leur enfant à descendre d'une voiture et qui reprennent la route. C'est donc possible ? À force de me poser la question, je suis obligée d'avouer que tout est possible : chaque jour dans le monde, des enfants sont battus par leurs parents, des enfants sont blessés, sont moralement ou physiquement détruits. Des enfants subissent des abus, des enfants sont tués. Je sais que cela se produit, je lis les journaux, j'en parle avec mes amies, j'écoute mon père évoquer la situation de certains migrants qui vivent dans le squat. L'homme sait être impitoyable pour ses propres enfants. C'est possible, donc, mais je ne parviens pas à saisir comment on fait quand on est père ou mère pour abandonner son fils au bord d'une route. C'est un mystère noir et terrifiant. Comment on fait pour battre son enfant ? Comment on peut l'insulter, l'humilier, l'avilir à ce point ? Je pense à mon père, à ce que raconte ma mère à son sujet, à sa capacité de se mettre à la place d'autrui.

Parviendrait-il à expliquer ce qui a pu se produire dans l'esprit des parents du garçon ?

Pour ma part, j'ai l'impression que je ne comprendrai jamais les raisons qui font qu'un adulte maltraite un enfant.

Et j'espère bien n'être jamais en état de les comprendre.

Très haut, dans le ciel, un avion glisse en tressant une longue traînée blanche sur son passage, un avion rempli de passagers préoccupés par leur voyage, lisant des magazines ou visionnant un film, qui n'imaginent pas qu'un petit garçon perdu suit leur sillage en cette seconde précise. Que voient-ils s'ils ont la curiosité de regarder par les hublots ? Une végétation dense, des montagnes, l'éclat de quelques lacs peut-être. Un paysage qu'ils doivent juger magnifique et apaisé, un territoire où il fait bon randonner avec un pique-nique dans le sac à dos. On a sous les yeux tant de drames que l'on n'aperçoit pas. Les yeux du garçon s'embuent et je perds l'avion de vue.

Je soupèse l'hypothèse d'un retour sur la route : il faudrait être certain de retrouver notre chemin. Au bord de la route, des voitures finiront forcément par passer, tandis qu'ici des semaines peuvent s'écouler avant qu'un promeneur ne vienne. Je ne sais pas quel chemin a pris le garçon pour atteindre cette base. Je n'ai pas noté, je ne m'en souviens pas. Je n'ai pas été assez attentive. Ici, nous avons de l'eau, des couvertures, une protection pour la nuit. En pleine forêt, si nous nous perdons, nous ne survivrons pas.

Dans ma tête, j'ai une balance et je soupèse les arguments. Quel plateau est le plus lourd ? Partir ? Rester ?

Nous rabaissons nos yeux, le ciel ne nous aidera pas, le monde entier continue de tourner, indifférent au sort d'un enfant abandonné. C'est dimanche après-midi, la disparition du garçon ne sera peut-être constatée que demain, lorsque sa chaise sera vide en classe. À moins que ses parents n'appellent l'école pour dire qu'il est malade et qu'il se repose. J'en suis réduite à mille hypothèses contradictoires. Il se peut que, rongés par les remords, les parents aient passé la nuit à chercher leur fils.

Avec un bâton, nous dessinons des bonshommes dans la poussière. Cela détourne les pensées de l'angoisse. Je laisse faire le garçon, il se contente d'un rond pour la tête, un autre pour le corps, des bras et des jambes en forme de brindilles, il s'énerve vite, casse le bout de bois en deux avant que je puisse dessiner à mon tour en prenant le contrôle de sa main.

Décidément, cet enfant manque de patience. À intervalles réguliers, il est parcouru de tremblements sans que je puisse savoir s'ils sont causés par la faim, la colère, l'anxiété ou une quelconque fièvre. J'ai beau être soudée à lui, j'ignore une grande partie de ses pensées et de ses sensations. Je ressens juste la faim, terrible et effrayante, une faim que je n'aurais pas pensé ressentir un jour. Une faim qui brûle la gorge et tord l'estomac.

Je sais maintenant combien la faim est une souffrance.

Je le sais vraiment.

On ne sait certaines choses que si on les expérimente. Avant, on en a juste une représentation. On a beau se dire qu'il est tragique de ne pas manger, on ne peut pas réellement se mettre à la place de l'affamé. Peu à peu, le garçon sombre dans une sorte de torpeur hébétée. Il peine à tenir sa tête droite. Adossé contre la paroi incurvée du dortoir, en plein soleil, il n'a plus froid. Son épuisement est extrême et je profite de ce qu'il lâche prise pour déployer quelques souvenirs : je vois une dispute violente avec sa grande sœur, dont j'ignore les causes, une chambre avec un poster de Godzilla au mur – ce qui me fait sourire, ça me semble tellement cliché qu'un garçon japonais ait une affiche de Godzilla, on dirait qu'elle a été punaisée là par un décorateur en manque d'inspiration.

Même au bord de l'endormissement, il résiste à mon intrusion, il ne se laisse pas percer facilement à jour. Je ne cesse de me demander s'il perçoit ma présence en lui, si je suis comme un fantôme flottant à ses côtés ou une sorte de voix lointaine et déformée dans sa tête. J'ai la curieuse impression qu'il n'a aucune conscience de mon existence. Je suis moins qu'un pou dans ses cheveux, un parasite sans poids, sans matière et sans consistance. Pas même une démangeaison.

C'est un curieux don que je possède, inexplicable et hors de contrôle ; si je cherche à savoir ce qu'une personne pense, je n'y parviens pas. Je le sais, j'ai essayé avec les professeurs, je voulais connaître par avance les détails des interrogations écrites. Impossible, autant essayer de lire un journal placé de l'autre côté d'un mur. La plupart des gens, je perçois leurs émotions profondes même s'ils souhaitent les cacher. Mme Charpentier, ma professeure de français, je sais qu'elle enterre en elle une détresse immense avant d'entrer en classe. Elle sourit pour mieux masquer qu'elle est malheureuse. Je ne sais rien d'autre d'elle, je ne sais pas pourquoi elle est si triste. Je passe ma vie à côtoyer des gens dont j'ignore tout, à part ce que leur visage veut bien laisser deviner. Les sentiments qu'ils éprouvent demeurent en dessous des eaux calmes de leurs gestes. Souvent, je me suis demandé si – au fil des ans – je perdrais cette capacité ou si – au contraire – j'apprendrais à plonger sous la surface des gens pour examiner ce que leurs grands fonds dissimulent.

Les muscles ligneux du garçon se relâchent tout à fait, j'entre dans son rêve, je rêve qu'il rêve : il est allongé dans son lit, la porte de sa chambre s'ouvre tout doucement, une lumière glisse jusqu'à sa tête et je me réveille d'un coup, ma mère penchée vers moi, le visage crispé par l'inquiétude.

Je t'ai réveillée ? Je suis désolée. Tu te sens comment ? La main de maman glisse dans mes cheveux. Je me redresse d'un bond, je regarde l'heure sur mon téléphone. Il est 8 h 15, c'est-à-dire 15 h 15 au Japon. Je dois me rendormir, je dois rejoindre le garçon, il est trop tôt, je n'ai rien préparé pour l'aider. Ma mère fronce les sourcils, je réalise que je viens de parler à voix haute, une vraie folle. Ma mère ne me laisse pas le temps de me reprendre ; douce et ferme, elle me recouche. S'excuse à nouveau de m'avoir réveillée, me demande de prendre ma température, va chercher le ther-momètre et un verre d'eau, pose l'ensemble sur ma table de nuit et me dit de ne pas me lever, elle doit s'absenter dix minutes, elle revient tout de suite.

Groggy, je regarde le petit chiffre sur l'écran à cristaux liquides : 38°7. Ça ne va pas vraiment mieux, je prends deux cachets. J'ai une faim de loup, une faim léguée par le garçon. Je me lève, je sais que maman me le reprochera. Comme je reste plus petite et plus menue que les filles de mon âge, maman me croit toujours plus fragile que je ne suis. J'ai beau être malade, je peux encore traverser le cou-loir jusqu'à la cuisine. Devant deux immenses tartines de chocolat j'éprouve une soudaine honte. Je m'empiffre alors qu'à l'autre bout du monde un garçon risque de mourir de faim.

Mon appétit l'emporte sur ma mauvaise conscience. À petites bouchées, je mâche très lentement, le tournis me menace. C'est au moment où s'ouvre la porte qui sépare le salon de la cuisine que je remarque qu'elle était fermée, ce qui n'arrive jamais. Un jeune homme en caleçon à fleurs et tee-shirt trop large fait un pas vers la table et, penaud, s'arrête net quand il m'aperçoit. Je reste un instant la bouche ouverte. Le garçon évite mon regard, il baisse sa tête aux cheveux courts et bouclés, veut reculer d'un pas et se heurte à un autre garçon dans son dos. Lentement, je me lève, m'écarte pour leur faire signe de passer, le premier jeune homme s'avance en regardant ses pieds, suivi d'un deuxième, d'un troisième et c'est tout. Ils sont trois, très grands, très noirs de peau, tous frisés, et ils se mettent à parler entre eux, à voix basse, une langue que je ne connais pas.

Une seconde, je me dis que je rêve encore. Tout va bien, je suis dans un autre rêve. Un des jeunes hommes relève les yeux vers moi et prononce un mot que j'identifie comme *Bonjour*. Je profite qu'ils se soient alignés en rang d'oignons devant l'évier pour regarder dans le salon : les stores sont baissés, ce qui n'arrive jamais non plus, le canapé a été déplié et un matelas de camping est gonflé au sol.

Il n'y a pas besoin d'être extralucide pour saisir ce qui se passe. En un sens, ça me rassure, je ne suis plus en état d'affronter d'autres situations incompréhensibles. Les trois jeunes hommes qui cherchent visiblement à se donner une contenance appartiennent au vrai monde, celui qui souffre et dans lequel on se jette sur la poussière des chemins dans l'espoir de dénicher un peu de paix et de sécurité.

Quand maman arrive, quatre minutes plus tard, les bras chargés de pain frais, ils sont autour de la table en train de souffler sur le chocolat au lait que j'ai trop fait chauffer.

Natnael, Ghirmay et Nahom ont quitté l'Érythrée voilà dix-huit mois, ils ont marché pendant des semaines, ont traversé le Soudan, l'Égypte et la Libye au péril de leur vie, ont payé à prix d'or une traversée vers la Grèce dans un bateau surchargé. Ils se sont rendus d'eux-mêmes dans un centre d'enregistrement à Athènes et ont été transférés par avion en France, où le gouvernement s'est engagé à officialiser le statut de 30 000 réfugiés ayant transité par la Grèce et l'Italie. Cela fait plusieurs mois que l'Office français de protection des réfugiés et apatrides examine leur demande d'asile. Ils ont seize, dix-sept et vingt ans, et ont perdu presque tout contact avec leurs familles.

Pendant que papa parle, je regarde sur la tablette où se situe l'Érythrée. À ma grande honte, je suis obligée de reconnaître que j'ignore absolument tout de ce pays. La carte montre un minuscule territoire coincé entre la mer Rouge, le Soudan et l'Éthiopie. Papa explique que les trois jeunes hommes resteront une ou deux nuits, le temps pour lui de leur trouver une solution d'hébergement. Ils vivaient depuis trois semaines dans le centre commercial désaffecté. *On ne peut pas les laisser à la rue,* se justifie-t-il et ma mère lui sourit avec tendresse. Elle prépare déjà le déjeuner, non sans s'être inquiétée de leurs pratiques alimentaires. Nahom, le plus jeune, parle un peu anglais, elle a essayé de savoir s'ils mangent de tout ou s'ils ont des aliments interdits.

Papa et divers sites Internet m'apprennent que l'Érythrée est une des pires dictatures qui soient sur terre, un pays de six millions d'habitants qui compte plus de 10 000 prisonniers politiques, détenus dans des conditions atroces. Apparemment, là-bas, soit on est du même avis que le gouvernement, soit on est considéré comme un criminel. Je découvre que le pays est quasiment neuf, il s'est constitué en 1993, presque dix ans avant ma naissance. Depuis, il entretient une guerre larvée avec l'Éthiopie. Pour achever le tableau, je lis que des tensions sont régulièrement provoquées par des groupes islamistes radicaux.

À tour de rôle, ils vont se doucher. Maman a trié de vieux vêtements de Thomas – qui sont trop petits – et de papa – dans lesquels ils nagent. Ils prennent des airs à ce point déconfits que j'éclate de rire. Mes parents n'ont pas le temps de me demander d'être polie et de faire de mon mieux pour éviter de les vexer qu'ils rient de bon cœur avec moi, si fort que bientôt nous sommes tous pliés dans la cuisine, si fort que nous n'entendons pas Thomas rentrer. Quand je le remarque, il se tient dans l'encadrement de la porte, il a la tête de quelqu'un qui n'a presque pas dormi. Il se frotte les yeux et lorsqu'il demande ce que font ces gars ici et pourquoi l'un d'eux porte son vieux tee-shirt préféré – celui avec la pochette de l'album *OK Computer* de Radiohead – nous rééclatons tous de rire.

Assise à mon bureau, je rouvre mon vieux journal intime, celui à la couverture rose qui fermait avec un petit cadenas ridicule que mon frère forçait avec un trombone pour me faire enrager. Avec du recul, je doute qu'il s'intéressait vraiment à mes secrets de petite fille. Je retrouve une phrase écrite il y a au moins huit ans : les lettres sont exagérément rondes, le trait vibre un peu. J'avais écrit : *La nuit je rêve ce qui arrive le jour suivant.*

Je tourne les pages, j'y lis des confessions de l'enfant que je ne suis plus, des disputes avec des filles dont le visage s'est estompé de ma mémoire, une feuille ramassée en Andalousie pendant les grandes vacances, des choses futiles qui m'ont semblé essentielles quand j'ai eu besoin de les écrire. C'est un miracle que je n'aie jamais jeté ce carnet au papier recyclé.

Dans le salon, Thomas et les parents s'essaient à discuter avec les Érythréens, le déjeuner a totalement fini de les mettre à l'aise. Tout juste s'ils ne se sont pas disputés pour aider ma mère à faire la vaisselle.

En tournant les pages au hasard, je découvre une phrase oubliée. Je ne sais plus quand, à l'école primaire, j'ai noté : *Le monde est si grand et je ne connais que mon immeuble.* J'ai beau me creuser la tête, je ne me revois pas tracer ces mots. Dessous, au feutre noir, j'ajoute : *Du Japon à l'Érythrée, le monde entier passe par mon immeuble.* À la toute dernière page du carnet, voilà deux ans, j'avais collé une feuille imprimée sur laquelle j'avais tapé : *Perdue, l'envie de confier mes peines et mes joies à un carnet orné de fleurs roses.* C'était le premier *perdu* d'une longue suite : par jeu, j'ai rédigé pendant des mois des petites annonces que je punaisais ou scotchais sur les panneaux d'affichage du quartier. J'en ai même inventé quelques-unes avec Elliot l'an dernier, lui seul sait que j'en étais l'auteure.

Ma fièvre a reflué, je suis bonne pour retourner au collège demain. L'arrivée surprise des réfugiés dans le salon ne me fait pas oublier le petit garçon. J'espère de tout cœur qu'il ne fait pas de bêtises pendant que je le laisse seul. Je me sens une responsabilité à son égard, je sais qu'il est aussi réel que les trois jeunes hommes dont j'entends les voix feutrées et hésitantes.

Nouveau SMS à Elliot, il est parti pour la journée avec sa mère, ce n'était pas prévu. Ils sont au bord de la mer, chez des amis. Apparemment, hier soir, Jupiter était d'une beauté à couper le souffle, ce dont ne témoigne pas vraiment la photo qu'il m'a envoyée avec son téléphone portable. Elliot est rentré se coucher au petit matin, épuisé et heureux de son rendez-vous avec les étoiles.

Une voiture klaxonne sur le parking ; l'immeuble où je vis depuis ma naissance est un monde miniature qui abrite des réalités tellement différentes : entre le petit vieux qui vit au quatorzième et qui n'a pas mis un pied hors de son appartement depuis huit ans, le couple qui hurle chaque samedi soir, obligeant la police à régulièrement intervenir, la chambre d'Elliot remplie de cartes du ciel et de lunettes astronomiques, l'appartement de Klara où ses frères dorment à tour de rôle dans le canapé pour lui laisser une chambre où elle peut partager un peu d'intimité avec Thomas, la voisine d'en face qui note sur un carnet les entrées et sorties des locataires. Je ne connais pas d'autre monde que mon immeuble, et deux bons tiers des portes sont closes sur des mystères.

C'est incompréhensible que des parents abandonnent leur fils au bord de la route, c'est inimaginable que trois amis traversent une partie du monde en risquant leur vie parce qu'ils n'ont pas le droit de penser ce qu'ils veulent dans leur pays natal, mais c'est stupéfiant de vivre depuis quinze ans dans un immeuble sans en connaître tous les habitants.

La fièvre m'offre un répit, je me sens nauséeuse, j'en ai marre d'être malade. Il est minuit au Japon, je croise les doigts pour que le petit garçon soit sagement couché dans le dortoir, emmitouflé sous une couverture. Je ne peux pas dormir tout le temps pour être à ses côtés, c'est impossible.

Trois coups rapides à la porte, je dis à Thomas d'entrer, il n'y a que lui qui frappe ainsi, il me regarde un instant, un peu stupide, et me demande comment je vais. Entre frère et sœur nous avons plus l'habitude de nous envoyer des vannes que de nous inquiéter de notre bonne santé. Je sais qu'il pense qu'avec les trois réfugiés à la maison nos parents auront moins de temps à m'accorder. *Ça va*, je lui réponds, *j'ai attrapé un sale virus.* À cette seconde précise, je sais qu'il ne me croit pas et j'ai envie de tout déballer. Je ne sais pas jusqu'à quel point il accepterait de m'écouter sans penser que je suis une mytho. J'ai beaucoup réfléchi depuis hier, je me suis demandé si je ne devais pas prévenir quelqu'un quelque part que je suis liée à un petit Japonais égaré. Mais qui me croirait ? Qui lancerait une expédition vers une base militaire désaffectée parce qu'une adolescente a rêvé qu'un garçon perdu y trouve refuge ?

C'est de la folie.

Ne maigris pas plus, Poids plume, ajoute Thomas, et il quitte ma chambre. Assise en face de la fenêtre, je regarde le béton du parking, la nausée gagne en intensité de minute en minute, elle devient si forte que je cours aux toilettes et vomis tout ce que j'ai avalé ce midi.

Parcourue de spasmes, le goût âcre de ma bile dans la bouche, je comprends alors que le garçon s'est empoisonné. Il faut absolument que je m'endorme pour aller l'aider.

Deux jours de fièvre et maintenant des vomissements, ma mère se demande si elle ne ferait pas mieux de me conduire aux urgences, ce que je refuse. On est dimanche soir, demain je n'irai pas au collège et on prendra rendez-vous avec notre médecin de famille. Je suis enroulée dans ma couette sur le canapé replié, les duvets ont été entassés dans un coin de la pièce sur le matelas de camping, Ghirmay, Nahom et Natnael m'adressent des petits signes d'encouragement. Mon père est parti à une réunion d'urgence, ma mère sourit et fait la conversation en anglais. Elle donne le change parfaitement, pourtant je sais bien qu'elle est minée par l'inquiétude. En prenant ma voix la plus douce et la plus rassurante, je lui dis que je ne vais pas faire de crise de convulsions. Et c'est là que je reçois un choc terrible, un truc incroyable qui me tombe dessus comme une météorite.

Oui, répond distraitement maman, *tu n'es pas perdue en forêt*.

Sa phrase m'électrocute comme la foudre, j'ai sursauté avec une telle violence que Nahom – le réfugié qui parle anglais – demande *What's going on ?*

La forêt ?

Alertée à son tour par le ton de ma voix, maman s'approche.

La forêt ?

Je me suis perdue en forêt ?

Il faut que je sache,

qu'elle me raconte,

je me suis perdue en forêt ?

c'est quoi cette histoire ?

pourquoi je n'ai aucun souvenir de ça ?

Rougissante, maman vient s'installer sur le canapé. *On t'a raconté que tu avais fait une crise de convulsions quand tu étais petite.*

Maman s'arrête, elle hésite, elle cherche ses mots. *C'était à la fin du printemps, nous étions allés nous promener, il faisait chaud, on recherchait la fraîcheur, on était partis marcher, avec ton frère et toi, et tu piquais crise sur crise, tu pleurais, tu hurlais, tu ne voulais pas avancer. Tu avais à peine trois ans, ton père te prenait sur ses épaules mais tu lui donnais des coups de pied.*

Un grand silence, les trois jeunes hommes se sont tus ; s'ils ne comprennent pas un mot de ce qui se dit, ils comprennent l'émotion dans la voix de maman.

Tu étais insupportable, tu pleurais, tu te débattais. Tu n'imagines pas combien on s'en est voulu par la suite. Tu devais déjà être fiévreuse et on ne s'en est pas rendu compte.

Un silence, maman déglutit.

Alors, pour te faire peur, pour te calmer, on t'a menacée, on t'a dit qu'on allait t'abandonner en pleine forêt si tu ne te calmais pas. On n'était pas sérieux, tu dois me croire, on était désemparés, excédés par ton attitude. Ton père a lâché ta main et on s'est éloignés à grands pas.

Une nouvelle fois, maman se tait. Le rouge n'a pas quitté ses joues. Du coin de l'œil, je vois que Thomas s'est approché, il écoute et son visage n'exprime absolument aucune émotion.

On a tourné à l'angle du chemin, on s'attendait à ce que tu nous rejoignes en courant, on voulait simplement te faire peur, tu comprends. On était maladroits, tous les parents commettent un jour ou l'autre des erreurs.

On s'est accroupis, on a attendu, une, deux, trois, quatre, cinq secondes. Huit ou neuf peut-être. Même pas dix. Et comme tu ne venais pas, on a rebroussé chemin.

Tu n'étais plus là. Tu t'étais volatilisée en un éclair. Ton père a couru, il t'a appelée, tu n'étais nulle part. En regardant les traces sur le bord du chemin, il a cru trouver un indice, il s'est lancé dans les fougères et les bruyères à ta recherche, il courait comme un fou, il hurlait ton nom à s'en casser les cordes vocales.

Le visage de maman est blême maintenant, Thomas a posé une main sur son épaule.

C'est comme si le sol s'était ouvert et t'avait engloutie. On ne comprenait pas comment tu avais pu t'éloigner aussi rapidement en si peu de temps. Ton père est revenu bredouille, il a traversé le chemin sans un mot et s'est élancé par-dessus le fossé de l'autre côté. Je l'ai vu disparaître sous l'ombre des arbres et je l'ai entendu hurler ton prénom. Et moi j'étais paralysée au beau milieu de la route, avec Thomas qui luttait pour ne pas pleurer à mes côtés. Quand ton père est revenu sans toi, j'ai cru que mon cœur allait exploser de douleur. Il nous a ordonné d'être méthodiques, d'entrer dans la forêt et de faire des cercles de plus en plus larges, on est partis, moi avec Thomas et ton père tout seul. On t'a cherchée plus d'une heure, tu sais, Julie. La pire heure de ma vie, les buissons griffaient nos jambes, Thomas ravalait ses larmes, on regardait derrière chaque tronc, au creux de chaque trou. À un moment, j'ai aperçu une petite mare, une minuscule étendue d'eau noire et croupie, et j'ai été persuadée que tu t'étais noyée. J'ai cru que tu étais morte, Julie.

Rouges, les yeux de maman brillent et les miens ne doivent pas avoir meilleure apparence. Je vois les lèvres de Thomas qui bougent, il traduit maladroitement en anglais le récit de maman. Nahom retraduit pour Ghirmay et Natnael.

J'étais là, je ne pouvais plus décoller mes pieds du sol, hypnotisée par les lentilles d'eau flottant à la surface de la mare, quand j'ai entendu un grand cri de ton père, un cri différent, j'ai su qu'il t'avait retrouvée et j'ai pu détacher mon regard de la mare. J'ai couru, Thomas faisait de son mieux pour me suivre, je le traînais, je l'ai même soulevé pour qu'il aille plus vite. Mais je m'essoufflais, je n'avais pas assez de force pour le porter.

Quand je t'ai revue tu étais dans les bras de ton père et tu dormais. C'est là qu'il m'a expliqué ta crise de convulsions. Il t'avait retrouvée. Depuis le début, tu te cachais dans le tronc creux d'un arbre, tu étais à dix mètres du chemin. À un moment, peut-être as-tu pris peur ou as-tu été dérangée par une araignée ou une bestiole, tu es sortie, ton père t'a vue, il a couru vers toi et c'est là que tu as été comme foudroyée : tu es tombée en arrière, tu convulsais au sol, ton père a tout de suite agi, il avait eu un copain épileptique au lycée, il avait déjà assisté à deux reprises à des crises. Il t'a basculée sur le côté, il t'a maintenue pour éviter que tu ne te blesses, il a ouvert de force ta bouche pour vérifier que tu n'avalais pas ta langue. Plus tard, il m'a raconté qu'il était tellement heureux de te retrouver qu'il n'a pas eu peur. Il a cru à une crise d'épilepsie, il t'a serrée, les convulsions se sont arrêtées, il t'a regardée cesser de respirer, il a vu tes lèvres devenir bleues et ton visage noir. Il n'a jamais été capable de dire combien de temps ça avait duré. Puis tu t'es remise à respirer normalement, ton corps s'est relâché, il t'a soulevée avec douceur et c'est là qu'il nous a appelés. Tu dormais.

Nouveau silence, l'émotion reflue dans la voix de maman. Je connais le reste de l'histoire par cœur, il m'a été raconté à plusieurs reprises : papa roulant à toute vitesse vers les urgences, l'examen, l'électroencéphalogramme, le diagnostic d'une crise de convulsions produite par une très forte et très subite fièvre. Le soulagement que je ne sois pas épileptique. Tout ça m'a été dit et redit, mais pourquoi ne m'a-t-on jamais expliqué le contexte ?

Je n'ai pas besoin de poser la question à maman pour qu'elle y réponde.

Ne nous en veux pas de ne pas t'avoir expliqué tout ça avant, on a eu tellement honte de nous. C'est la pire journée de ma vie, elle ajoute, la voix de nouveau tremblante.

Je reste sous le choc.

Enfant, je me suis perdue en forêt,

il y a douze ans pile, mes parents ont fait semblant de me perdre en forêt,

tout comme les parents du petit garçon,

l'histoire se répète,

avec d'énormes différences,

et pourtant, c'est la même histoire,

la même.

Et je n'ai pas le temps de réfléchir aux coïncidences qui n'en sont peut-être pas que j'entends Thomas dire que cette histoire lui fait penser à ce qui se passe en ce moment au Japon.

Nouvel électrochoc.

Je relève la tête vers lui.

Au Japon ?

Sur Internet, il vient de voir un article expliquant que des parents ont voulu donner une leçon à leur fils et l'ont laissé sur le bord de la route. Le temps qu'ils fassent marche arrière, ils n'ont pas retrouvé l'enfant. Des battues sont organisées depuis hier soir.

Ça se passe à Hokkaido ? je demande.

Il n'a pas retenu le nom, il sait juste que cela se passe dans un parc naturel situé dans la grande île au nord du Japon.

Hokkaido.

Je veux voir l'article,

tout de suite

tout

de

suite.

Ainsi donc le garçon a un nom et un prénom. Tout comme ses parents et sa grande sœur. Je ne trouve pas de photo de lui, simplement des images de policiers et de bénévoles parcourant les bois ainsi que des photos de son père. Il y a aussi une vidéo, diffusée par la télévision japonaise, où – d'après ce qui est écrit dans l'article – le père présente ses excuses de déranger autant de monde et d'avoir fait une chose impardonnable sous le coup de la colère.

Soixante-quinze militaires, je lis, deux cents volontaires, des chiens et des cavaliers ratissent la région. Des chasseurs ayant une parfaite connaissance des lieux les accompagnent. L'article se clôt sur le fait que des traces d'ours ont été relevées à l'endroit où le garçon a disparu.

Je regarde des images d'hommes avançant en ligne dans les bois ; je regarde des images de jeeps stationnant au bord de la route et d'hommes observant des cartes. Je regarde la forêt dans le fond, cette forêt que je connais si bien depuis hier, les montagnes au loin, des mares sombres et des rivières boueuses, des pentes abruptes et des sentiers escarpés, une végétation inextricablement touffue et emmêlée.

J'écoute le père présenter ses excuses sur YouTube, je visionne un extrait d'un journal télévisé, et j'ai envie de crier à tous ces gens qu'ils doivent en vitesse trouver une base militaire désaffectée, que le garçon est là, qu'il dort sans doute, qu'il a des nausées, qu'il a faim, qu'il a besoin d'aide, qu'il a besoin que son père le prenne dans ses bras plutôt que de s'excuser du dérangement devant des caméras.

Je vais sur le site de l'ambassade du Japon à Paris, il y a un onglet contact tout en bas, j'hésite, je ne sais pas quoi écrire.

« *Bonjour,*

Je rêve chaque nuit du garçon que tout le monde cherche et je pense savoir où il se trouve. »

Personne ne prendra mon message au sérieux, il sera supprimé, on pensera à une plaisanterie. Ou pire : on me croira folle.

Ma fièvre est revenue, il est à peine 19 heures, papa discute avec nos invités, tout s'imbrique parfaitement mais l'image finale sur le puzzle ne ressemble à rien. J'ai l'impression ce soir d'avoir le cerveau en ébullition. Si tout cela a un sens, il refuse d'apparaître, il demeure flou et indistinct.

Les événements me prennent sur leur dos et galopent où bon leur semble.

Je ferme toutes les fenêtres que j'ai ouvertes sur le navigateur, je savais que le garçon existait en vrai, je sais maintenant qu'il va bientôt être retrouvé et qu'il ne faut pas juger les individus trop vite. *C'est la pire journée de ma vie*, a dit maman. Un pétage de plombs est si vite arrivé. Cela n'excuse personne, cela arrive. Sous les articles de presse, les commentaires des internautes étaient comme toujours furieux et démesurés. Je ne sais pas à quoi cela sert de permettre à tout le monde d'écrire son avis au sujet du moindre fait divers. Des gens demandaient à ce que les parents du garçon soient emprisonnés. Des gens protégés par un pseudo écrivent n'importe quoi pourvu que cela soit violent et accrocheur. Des gens qui me répugnent parce qu'ils ont un avis sur tout, une vérité agressive à imposer au monde entier. Des gens qui n'ont rien de mieux à faire que de déverser leur haine anonyme sur Internet.

Fatiguée de réfléchir, je m'allonge. Il ne faut pas que je m'endorme si tôt, c'est le beau milieu de la nuit au Japon, le garçon doit dormir, il aura besoin de ma présence quand il se réveillera. J'aimerais pouvoir lui dire que ses parents regrettent, que deux cents personnes se remettront en route demain matin pour venir le sauver. Ce n'est plus qu'une question d'heures et il pourra manger, être soigné, rentrer chez lui.

Mon estomac se tord, le sang bat à mes tempes, des frissons glacés me parcourent. Il est grand temps que tout cela prenne fin, je risque d'y laisser ma santé.

Pour ne pas vomir une seconde fois, je ferme les yeux. Respirer lentement et régulièrement éloigne la douleur. Maman fait du yoga, c'est elle qui m'a montré comment contrôler son souffle.

Je ne peux pas en vouloir à mes parents de ce qui s'est passé il y a douze ans, pas plus que d'avoir évité de me le raconter. La honte que ma mère éprouvait tout à l'heure est la pire des punitions. Soudain, la nausée me chavire, je rejette la couverture, ouvre en grand la porte, me penche sur le côté et les haut-le-cœur me font vomir un mince filet de bile aigre. Je n'ai plus rien dans l'estomac qui puisse ressortir. Le froid me mord les jambes et le visage. La nuit est d'une profondeur inouïe. Tout là-haut, des milliers d'étoiles scintillent avec indifférence. Un dernier spasme nous plie en avant. Nous avons un goût de terre dans la bouche, c'est à la fois fade et écœurant. Je force le garçon à se rincer la bouche et à boire une petite gorgée d'eau. S'il régurgite depuis longtemps, il risque la déshydratation. Il a fait n'importe quoi hier soir pendant que j'étais réveillée, il a déterré des racines au hasard, il a mangé des jeunes pousses et mâché des feuilles. Il s'est rendu malade en voulant calmer sa faim. Je passe nos mains sur notre visage. Nous sommes brûlant. Une autre crampe nous plie en deux. J'espère que le garçon n'a pas avalé une plante vénéneuse, j'espère qu'il ne s'est pas empoisonné. Lentement − tellement ses muscles se raidissent − nous regagnons le dortoir. Le corps du garçon semble peser cent kilos quand il faut l'allonger dans le lit. Bien que je n'aie pas de bouche, je me mets à raconter une histoire, pour le calmer, je choisis celle du Petit Poucet, c'est la première qui m'est venue à l'esprit, je raconte les cailloux blancs, les miettes de pain, et ma mère se penche vers moi pour savoir si je veux manger.

Oh, fait-elle, *je t'ai encore réveillée.*

Quand je me recouche, il est 23 heures, j'ai fait mon possible pour me décaler. Demain, il est convenu que je louperai les cours et que j'irai chez le médecin s'il peut me recevoir. Nahom a traduit pour nous les récits de ses deux amis, des histoires tragiques et banales qui font une ligne dans les journaux. Ces trois-là ont eu de la chance d'arriver en vie jusqu'ici. Ils ont eu de la chance aussi de naître dans des familles aisées et de ne pas être des filles – il serait impensable que des femmes puissent effectuer le voyage qu'ils ont fait. À mesure qu'il parlait des arrestations en Erythrée, des délits d'opinion, du verrouillage de la société et de la peur qui transformait les gens en délateurs, je me suis mise à détester un homme dont je ne connaissais même pas le nom hier : Issayas Afewerki, le président d'Érythrée, qui mérite sa réputation de dictateur le plus sanglant d'Afrique.

Papa a bon espoir que tous les trois trouvent une place en début de semaine dans un foyer d'accueil pour migrants. Il faut juste qu'ils ne soient pas là demain matin au moment où la police viendra procéder à la fermeture du squat. Cela pourrait dégénérer. Demain, riait papa, il aimerait bien voir les têtes des CRS quand ils découvriront que l'ancien supermarché est désert.

Nous formions une curieuse assemblée, nous étions sept et demi serrés autour de la table dans notre minuscule cuisine : ma famille, trois réfugiés qui passaient sous silence certains drames de la longue errance les ayant conduits parmi nous, et le fantôme d'un enfant perdu dont j'espère de tout cœur qu'il n'a pas mangé par mégarde une plante toxique.

Durant le repas, Ghirmay a brusquement plongé ses yeux droit dans les miens. Une décharge d'émotion m'a parcourue. En lui, j'ai lu la peur, la peine, la souffrance. J'ai lu le manque de son pays natal, l'arrachement à ses racines, l'infinie tristesse d'être sans nouvelles de sa propre famille. À dix-sept ans, Ghirmay a vécu plus de choses terribles que beaucoup d'adultes. Cela lui donne parfois un visage de vieillard. Sans me quitter des yeux, il a sursauté, a placé un doigt sur son front. D'une certaine façon, il venait de comprendre ce que j'étais en train de faire. Je crois que lui aussi sait percevoir les émotions des gens, il voulait me sonder et il s'est pris à son propre piège. J'ai souri en mettant le plus de bienveillance possible dans mon sourire. Son visage s'est détendu. Il m'a souri en retour et il a de nouveau eu dix-sept ans. Personne n'a remarqué quoi que ce soit. Le repas a continué. Je ne suis peut-être pas l'unique personne au monde à posséder certaines capacités. C'est rassurant de le savoir.

Le lit tangue un peu à mesure que bat mon cœur, une terrible peur m'envahit. Qu'arriverait-il si l'enfant mourait ?

Égoïstement, je pense d'abord à moi : l'idée d'entrer dans l'esprit d'un mort me révulse. J'en ai la chair de poule, et mon estomac se tord une nouvelle fois. Peut-on mourir en vrai si on meurt dans ses rêves ?

Il faut que je chasse ces pensées, elles ne servent à rien, elles vont m'empêcher de m'endormir. Quelque part, une petite voix me dit que si l'enfant était mort je l'aurais ressenti.

Lentement, je m'enfonce dans le sommeil. J'attends que le monde pivote sur son axe, j'attends d'être transportée ailleurs, et ça ne vient pas. La fièvre me fait frissonner, le contact de la couette et du tissu de mon pyjama irrite ma peau, mon sang paraît plus épais et mon cœur pompe lourdement pour le propulser dans mes veines. Rien n'est simple. La machine de mon organisme déraille de partout. J'ai mille ans, j'ouvre les yeux, je suis toujours dans ma chambre, je ne parviens pas à dormir,

respire,

je me dis,

respire,

calme-toi,

des fourmillements parcourent mes jambes,

je me sens sombrer tout doucement, très lentement, et tout d'un coup :

une nouvelle décharge m'électrise,

respire,

le lit m'aspire, je pèse des tonnes et mes membres s'incrustent dans les draps,

je vais m'enfoncer à travers le matelas si ça continue,
respire,
encore des décharges dans les jambes,
respire,
je revois le visage de Ghirmay, sa douleur,
je me concentre,
je pense à la colère et à la détermination de papa,
je respire,
puis d'un coup je tombe,
j'ouvre les yeux et je reconnais le plafond en demi-cercle du dortoir,

c'est la première fois de ma vie que je m'endors en sursaut, avec cette désagréable sensation de tomber dans un puits.

L'enfant est vivant. Je n'arrive pas à le faire sourire, son corps entier semble être devenu un morceau de bois, mais il est vivant. C'est l'essentiel ; il vit et les secours ne vont pas tarder à le découvrir. Un immense soulagement m'envahit. C'est alors que je sens l'odeur. Il est grand temps que j'aide le garçon à faire un brin de toilette. Il faut qu'il boive aussi, il s'est tellement vidé la veille qu'il est à la limite de la déshydratation.

J'ai besoin de toutes mes forces pour l'obliger à se lever et à se traîner vers le robinet, dehors.

Le ciel est déjà d'une pureté cristalline, voilée çà et là par quelques nuages effilochés. Affaibli comme nous sommes, ouvrir le robinet est une lutte. Enfin, l'eau coule, glaciale, vitale. L'enfant boit et se lave, il grelotte dans la clarté du matin, nous nous enveloppons dans une couverture sèche. Il reste à nettoyer comme nous pouvons les sous-vêtements de l'enfant, ils sécheront au soleil dans la matinée.

C'est à ce moment précis que le grognement nous arrache à notre torpeur. À dix mètres, un ours finit de se faufiler par la brèche du grillage.

Un ours gigantesque,

monstrueux,

qui se dirige vers nous.

Je sais me défendre contre un garçon qui m'embête, qui décide de s'en prendre à moi ou qui fait son malin. Je sais me défendre contre un groupe de jeunes qui bloquent l'accès du hall de l'immeuble. Je sais me défendre contre une fille du collège qui me prend en grippe. Je sais me défendre contre les mesquineries de mon frère quand il est de mauvaise humeur.

Je sais me défendre contre ceux qui se moquent de ma petite taille tout comme je sais me défendre contre un rire mauvais.

Je sais faire face à la plupart des agressions quotidiennes et me protéger des gens qui aiment pourrir la vie des autres.

Mais un ours ?

Comment se défendre contre un ours ?

Sans voix, nous observons l'animal s'avancer, il dégage une puissance extraordinaire, une force brute et totale. Ses muscles roulent sous son pelage brun foncé, ses pattes se posent presque sans bruit sur le sol. L'animal s'arrête et relève la tête vers nous. Au-dessus des oreilles, ses poils s'éclaircissent et deviennent presque caramel. Ses yeux plongent dans les nôtres. Sa gueule s'ouvre et ses dents sont plus longues que les doigts de l'enfant. Je n'ai jamais vu quelque chose de plus vigoureux que cet ours. Il est invincible. Il doit peser plus de cent kilos, il est terrifiant et magnifique.

Et nos jambes manquent de se dérober, nous tremblons de peur. Ce n'est pas une image ou une métaphore : notre corps tremble, nos jambes ne nous portent plus, nous allons nous effondrer au sol,

et

l'ours

va

nous

dévorer.

Tout à fait immobile, l'animal respire notre odeur. Il faut que nous partions en courant, il faut que nous nous enfermions dans le bâtiment, il faut que nous tirions les lits contre la porte, il faut que nous bougions, maintenant, pour sauver notre vie. Il faut que nous parvenions à nous arracher au regard de l'ours.

Une seconde s'écoule, peut-être deux ou dix millions d'années, l'animal détourne la tête, hésite une ou deux éternités, et effectue un demi-tour. Fasciné, nous scrutons les amples mouvements de ses muscles, son pelage ondule comme la surface de l'océan, je pense. L'image a beau être idiote, elle me paraît décrire avec justesse la manière dont les mouvements de l'ours s'impriment sur sa fourrure.

Un miracle est en train de se produire : l'ours remonte le talus et se glisse sous le grillage, il repart comme il est venu, il n'a pas faim, il n'est pas agressif, il ne va pas nous arracher la tête d'un coup de griffes ni nous déchiqueter. L'ours franchit le grillage à une vitesse stupéfiante et disparaît dans les bois.

Notre cœur est descendu dans notre ventre. Nous nous effondrons d'un coup. Nous entendons encore le bruit provoqué par le passage de l'ours entre les broussailles et nous sommes à terre, tremblant si fort de peur que nous pleurons de nouveau, nous nous enroulons dans la poussière en position fœtale, la couverture humide nous protège à peine de la fraîcheur, nous ne bougeons plus, il n'y a aucun endroit où nous pouvons aller, nous ne quitterons pas la base militaire, la forêt est trop dangereuse, nous n'avons plus la force de marcher, nous n'avons pas même l'énergie de crier. Nous sommes un pauvre garçon famélique et sans force qui vient de voir un ours. Nous allons attendre. Les secours seront là d'une minute à l'autre, j'ai vu les hommes sur les vidéos, ils ont des talkies-walkies, ils portent des casques et des combinaisons blanches, ils ont des chiens et des caméras, ils vont nous retrouver,

bientôt

très bientôt

nous retrouver, nous protéger,

et le rêve cessera.

Le temps s'écoule entre nos doigts comme du sable, je suis incapable d'estimer combien de temps nous demeurons lové en boule dans la couverture : le soleil en profite pour se hisser dans le ciel, sa lumière nous berce. Au loin, ce sont des bruissements, des chants, des courses-poursuites, des feulements, des craquements, des appels, des luttes, des agonies, des vrombissements, des reptations, des stridulations, des griffes qui grattent le sol, des chutes de feuilles, des bourdonnements d'insectes affairés ; le bruit ordinaire et inquiétant de la forêt. L'ours ne revient pas. Nous restons recroquevillé au sol, à respirer l'odeur lourde de notre corps mêlée à celle – moisie et poussiéreuse – de la couverture. La peur nous a lavé de toute pensée, la peur nous a laissé sans force. Je suis une page blanche, sans un mot. Plusieurs heures s'écoulent puis un nuage voile l'éclat du soleil, une ombre épaisse tombe sur notre visage, le froid s'abat sur nous et nous arrache à notre torpeur.

Le garçon va boire puis rentre se coucher dans le dortoir, je ne cesse de lui répéter que les secours arrivent, je l'ai vu sur Internet, les journaux télévisés japonais parlent de lui, les secours arrivent, ce n'est plus qu'une question d'heures, peut-être même de minutes, les secours arrivent, quelqu'un va bien penser à cette base militaire, ils vont venir, ils verront le grillage relevé puisque même un ours est capable de le voir, ils vont entrer, appeler, et ils nous trouveront.

J'aimerais pouvoir offrir quelques mots de réconfort au garçon, savoir les dire en japonais et être certaine qu'il peut les entendre. Sans le langage, on n'est rien.

Nous tirons le lit de camp vers la porte vitrée pour pouvoir observer l'extérieur, et nous sombrons de nouveau dans une sorte d'attente hébétée. Souvent, le garçon ferme les yeux et il me faut toute ma volonté pour les lui faire rouvrir. À un moment, nous voyons un oiseau gigantesque s'élancer de la cime d'un arbre et monter haut dans le ciel, un oiseau noir à l'envergure démesurée. Je n'en avais jamais vu de semblable. Il n'a poussé aucun cri à moins que le vitrage ne nous isole du bruit. Il vaudrait mieux ouvrir la porte, si jamais les secouristes s'approchent, ils appelleront sans doute, ou ils auront des sifflets. J'engage un bras de fer avec le garçon pour l'obliger à se relever et à ouvrir la porte. Le mieux serait de sortir un lit, de prendre plusieurs couvertures s'il le faut, et d'attendre dehors. J'ai l'intuition que l'ours ne reviendra pas. Pour la première fois, le garçon résiste, il est à ce point épuisé qu'il n'a plus la force d'accomplir les efforts que je lui demande. Je refuse de céder, j'ordonne à son corps de se redresser, à ses pieds de toucher le sol, à ses mains de prendre appui sur le matelas, et à peine frémit-il. Si j'insiste, il va se briser en morceaux. Il est exténué, il a été malade à cause d'un truc dégoûtant qu'il a mangé, il est désespéré. Je renonce. Et nous sombrons de nouveau dans une molle léthargie. Je revois l'oiseau, il fait bien deux mètres d'envergure, il se pose à la tête du lit, ses serres tintent contre le métal. Il se penche vers moi, son bec est aussi noir que ses yeux ou ses plumes. *Tu n'as pas été sage*, dit-il, *tu as bien mérité ce qui t'arrive.* Je suis à l'arrière d'un camion qui s'arrête, des militaires soulèvent la bâche, ils pointent des mitraillettes dans ma direction, ils aboient des ordres, je dois me lever, j'ai peur pour ma vie, je crains qu'ils ne découvrent l'argent dont j'aurai besoin pour payer la traversée vers l'Europe, un rouleau de billets que j'ai caché dans mon slip. Un ours les disperse au moment où je vois danser des lumières, j'étais sur le point de faire une crise de convulsions en pleine forêt, parce que j'ai trois ans et que j'ai senti que dans douze ans jour pour jour je devrai prendre soin d'un enfant perdu.

Je rêve.

Je n'ai plus assez d'énergie pour pleurer.

Mes cauchemars s'entremêlent aux cauchemars du monde entier.

À mon réveil, je ne comprends pas où je me trouve, je tâte autour de moi, touche le pied de ma table de nuit. J'ai dormi au sol, enroulée dans ma couette. Je ne sais pas comment j'ai fait pour tomber du lit, je ne me souviens de rien. J'ai mal partout et j'ai la gorge épouvantablement sèche. La nuit entière s'est déroulée en quelques minutes. Les secours ne sont pas venus.

Il faut que j'aille voir sur Internet où en sont les recherches. Seulement je n'y ai pas accès sur mon téléphone, un ancien modèle que maman m'a donné quand elle a changé le sien ; l'ordinateur est dans le salon transformé en dortoir d'urgence, la tablette est je ne sais où, sans doute au même endroit.

Plus petite, souvent, je me réveillais la tête au pied du lit, ou par terre. Mes nuits étaient très agitées, semble-t-il. Je n'en garde pas de souvenir. C'est ma mère qui m'a raconté ça, plusieurs fois on a dormi ensemble, chez des amis, lors de week-ends, et elle ne me supportait pas à côté d'elle. Je faisais des bonds dans mon sommeil.

C'est en voulant remonter dans mon lit que je découvre à quel point je vais mal. Ma tête tourne, ma fièvre est encore là, je manque à plusieurs reprises de m'affaler. Dans la salle de bains, le miroir me renvoie une image de film d'horreur. Mes cheveux sont gras, ma mèche collée à mon front, j'ai des poches violettes sous les yeux, la peau cireuse. Un zombie. Le petit réveil posé sur la tablette du lavabo m'apprend qu'il n'est pas encore 5 heures du matin.

Sur la pointe des pieds, je vais fureter dans la cuisine, avec un peu de chance la tablette sera posée sur la table ou sur le frigo. Je n'allume pas, les lumières jaunâtres de la cité me permettent d'y voir comme en plein jour. Rien ne bouge sur le parking, pas une lumière n'est allumée sur la façade de l'immeuble voisin. Le monde entier dort. Je m'accroche aux dossiers des chaises pour ne pas m'effondrer. Nulle trace de la tablette, il faudra patienter jusqu'au réveil de toute la maison. De l'autre côté de la porte du salon, quelqu'un geint, je tends l'oreille, une voix empâtée prononce quelques mots, puis un gémissement se fait entendre, suivi de ce qui ressemble à un long sanglot, et le calme revient. Je savais que l'on pouvait parler dans son sommeil, j'ignorais qu'il était possible de pleurer. Les douleurs que ces trois jeunes hommes transportent en eux me seront toujours en partie inconnues. Avec un peu de compassion on peut se mettre à la place de n'importe qui, cela ne nous fait pas ressentir pour autant la profondeur de ses blessures.

Silencieuse comme un chat (c'est une des expressions de Thomas, il me dit souvent que je lui flanque la frousse à apparaître dans son dos sans faire de bruit), je retourne me coucher. Si je me rendors, je serai peut-être à côté du garçon au moment où les secours le trouveront.

Rien ne se déroule comme prévu. Quand je me rendors enfin, le garçon somnole, il n'a pas bougé bien que ce soit l'après-midi au Japon. Je me heurte à lui comme une mouche bute contre une vitre. Il est muré dans son sommeil, il respire très lentement et profondément, je m'épuise à vouloir le rejoindre. Je n'ai plus qu'à attendre qu'il se réveille. Je flotte, inutile, comme un spectre ou une sorte d'ange gardien désœuvré. Je ne peux rien voir alentour, j'ai besoin de ses yeux. Je perçois simplement sa présence : un corps tiède d'où irradient la faim et l'inquiétude.

Je me réveille avant lui, je me sens véritablement très mal. J'entends des bruits dans le couloir, papa parle à voix basse avec l'un de nos invités. Ils se préparent à partir. Comme on est lundi, papa a dû prendre sa matinée pour les accompagner faire des démarches. Je veux me lever pour les saluer et leur souhaiter bonne chance. Mes jambes ne m'obéissent plus, je ne parviens pas plus à appeler qu'à bouger. C'est comme si j'étais coupée de mes terminaisons nerveuses, prisonnière dans mon corps. Au prix d'un effort démesuré, je m'assieds dans le lit, je rejette la couette, je mets un pied au sol, deux, je me lève, des lumières vives se mettent à tournoyer devant mes yeux,

c'est beau,

c'est fascinant même,

cela dessine un kaléidoscope dans l'air, des formes géométriques qui s'assemblent et se repoussent,

les lumières s'agglomèrent, forment une boule d'énergie pure qui d'un coup se jette sur moi,

je suis foudroyée,

électrocutée,

et c'est le trou noir.

Je me réveille dans une chambre qui n'est pas la mienne, pas plus qu'elle n'est celle du garçon. Des dalles de placo blanc sont collées au plafond, une perfusion est suspendue à un crochet métallique, je suis le fil des yeux, il passe à l'intérieur d'une machine qui produit un petit bip toutes les dix secondes, des chiffres brillent en gros caractères rouges, le fil ressort descend jusqu'à un petit robinet et disparaît sous un bandage scotché à mon avant-bras.

C'est étonnant, je suis à l'hôpital.

Et c'est d'autant plus étonnant que c'est vraiment moi qui suis allongée sur ce lit et pas le garçon qui en aurait plus besoin.

Une voix franchit des années-lumière avant d'atteindre mes oreilles. Le visage de ma mère apparaît dans mon champ de vision. Ce matin, elle m'a trouvée évanouie au sol, dans ma chambre. Impossible de me réveiller, les pompiers m'ont conduite à l'hôpital, j'étais glacée, ma température était descendue à presque 35°, je souffrais aussi d'un début de déshydratation. À ce qu'il paraît, je me suis réveillée lorsqu'un interne m'a examinée. J'ai eu droit à une prise de sang, on me garde en observation. Maman m'explique que la réaction de mon corps est trop violente pour que la cause soit un simple virus ou une infection. L'interne a parlé d'examens neurologiques couplés à une recherche bactériologique afin de déterminer la présence d'un possible parasite. Douloureusement, je souris. Je ne pense pas qu'un microscope décèlera que mon parasite est un enfant japonais, un enfant perdu qui m'affaiblit, aspire ma force vitale sans même s'en apercevoir. J'ai beau me creuser la cervelle, je n'ai aucun souvenir de mon arrivée à l'hôpital. Maman fait de son mieux pour assembler un sourire. Elle irradie l'inquiétude, elle a toujours été comme ça : dès que Thomas ou moi sommes malades, maman ne peut pas s'empêcher d'être terriblement inquiète. Elle croit nous cacher son anxiété mais elle nous bombarde d'ondes négatives. Je ne peux pas lui en vouloir, je sais qu'elle fait de son mieux, elle est en lutte perpétuelle contre son pessimisme. Depuis toute petite, j'ai appris à comprendre que parfois le rire de maman sert à masquer sa tristesse. Elle porte en elle une blessure ancienne contre laquelle elle lutte, je n'en sais pas plus, c'est simplement ce que je sens. C'est un point commun entre de très nombreux adultes : ils portent un poids. Je ne pense pas simplement à maman où à Mme Charpentier, ma professeure de français, je le constate chez des parents de mes amis, chez la mère d'Elliot par exemple, chez beaucoup de gens. Les adultes donnent le change, font ce qu'ils peuvent pour avancer sur le chemin de leur vie, mais certains ont des poids invisibles accrochés aux chevilles. Papa, non. Mon père est d'une légèreté étonnante : je crois qu'il a toujours été heureux. Il s'énerve beaucoup, pousse des cris en lisant le journal ou en écoutant les informations à la radio, passe sa vie à écrire des lettres de protestation et à signer des pétitions, il allume des bougies dès qu'une bombe explose, milite dans une dizaine d'associations, rentre furieux de chaque conseil municipal, mais c'est la joie de vivre qui l'anime.

Maman prend ma main, elle refoule ses larmes, je souris doucement, lui dis que je vais bien, que ce n'est rien. J'ai une toute petite voix, étouffée et chevrotante, qui semble naître au fond d'un gouffre. Je crois que mes paroles de réconfort produisent l'inverse de l'effet escompté, les larmes de maman coulent à grands flots.

Je dors.

Une infirmière me sourit et m'explique une chose à voix si basse que je ne comprends pas.

Je somnole.

Maman m'embrasse.

Je dors.

Un médecin se penche vers moi, il ne sourit pas, il parle et je ne comprends rien à ce qu'il déblatère. En retrait, un interne note des choses sur une tablette.

Je referme les yeux.

J'observe les reflets de la lumière danser sur le mur blanc, cela forme comme des ondulations, cela vibre doucement, c'est chaud et hypnotique.

J'ouvre les yeux et je suis recroquevillée dans le dortoir, je tends l'oreille jusqu'à entendre le souffle lent et bas du garçon, je lui dis de ne pas baisser les bras, je rabâche que les secours sont en route. Il ne m'entend pas.

Je reçois un ♥ de Klara, la copine de mon frère, je lui réponds que ça va. Elle renvoie une pluie de cœurs.

J'écoute ma respiration.

Mes doigts sont si froids que je ne reconnais pas la peau de mon ventre quand je le touche.

Je fais bien tout ce que l'infirmière me demande de faire.

J'ai froid.

La pluie tambourine contre le toit de l'hôpital, elle cogne les vitres, parvient à faire vibrer le bâtiment en entier. La pluie provoque un tel vacarme que je n'entends plus les battements de mon propre cœur. Elle s'acharne, heurte le sol avec violence, s'énerve de trouver des obstacles sur le chemin de sa fureur, elle veut mouiller tout ce qui peut l'être, elle veut s'infiltrer, faire gonfler les rivières et les égouts, transformer les routes et les trottoirs en torrents de boue.
La pluie tombe aussi fort qu'une colère.
Et je comprends que ce n'est pas moi qui l'entends, c'est le garçon, c'est lui que la pluie veut trouver pour

l'emporter. Je confonds l'éveil et le rêve. Cela m'inquiète, cela finira mal.

J'ai peur.

J'ai froid.

Dans mon lit d'hôpital j'écoute un orage ébranler un dortoir militaire. Parfois je sursaute, comme si des gouttelettes glacées m'éclaboussaient.

Je dors.

J'entends deux infirmières parler de moi dans le couloir alors que la porte est restée ouverte. *Tu vérifies sa température et tu prends sa tension à chaque fois, elle est en hypothermie, personne ne comprend pourquoi.*
Je note qu'hypo est l'inverse d'hyper, j'ai appris un mot.

Une voix m'appelle, c'est Elliot qui est là, le visage crispé par l'inquiétude, il me sourit dès que nos regards se croisent. Je lui demande comment il va, et la question le surprend tellement qu'il en bafouille. Nous rions. C'est mon premier rire depuis que je suis dans cette chambre. C'est important de rire pour apprivoiser un lieu. Je note dans un coin de ma tête qu'il faudra que je fasse rire le garçon recroquevillé dans son dortoir. La main d'Elliot a pris la mienne, je lui demande un service : il doit aller sur Internet et faire des recherches sur un garçon perdu dans une forêt au nord du Japon, les journaux en parlent chaque jour, des articles en français évoquent cette affaire. C'est important pour moi.
Ce que j'aime chez Elliot, c'est qu'il me promet sans

me poser de questions. Il accepte, c'est tout. Il n'y a qu'à lui que je peux demander une chose pareille.

Je dors et la paume de ma main est sans doute le seul endroit de mon corps qui ne soit pas en hypothermie, j'ai gardé la chaleur de la main d'Elliot sur mes doigts.

Nous nous levons de plus en plus difficilement, nous dirigeons à petits pas mesurés vers le robinet, buvons de petites gorgées pour éviter de nous étrangler. Parfois le soleil est haut, parfois il fait nuit. Nous avons perdu toute notion du temps, notre peau est glacée malgré les deux couvertures. Nous avons renoncé à nous laver, ce serait trop d'énergie dépensée. À certains moments, nous nous prenons à espérer que l'ours revienne et qu'on en finisse, qu'il nous délivre de la faim, de la peur, de la faiblesse qui rend chacun de nos gestes infiniment douloureux.

En somnolant, je chantonne une berceuse japonaise que je n'ai jamais apprise.

Papa joue les fiers à bras, il rigole, me dit qu'il est passé au collège prendre les devoirs, que j'ai bien joué, j'ai échappé déjà à deux interrogations surprises, mais je sens son inquiétude. Il a parlé au médecin, il semblerait que j'aie eu une nouvelle crise de convulsions hier matin, que c'est pour cela que je me suis effondrée au sol. Il me dit que les médecins vont trouver une solution pour m'aider.

Hier matin ? Je réalise que cela fait déjà une journée entière que je suis à l'hôpital. Je demande à papa l'heure et calcule que c'est déjà la nuit pour le garçon. Quand il se réveillera, ce sera mercredi pour lui. Cela fera quatre jours qu'il n'aura pas mangé.

J'ai perdu le fil, papa m'explique que Ghirmay, Nahom et Natnael ont trouvé une place dans un foyer. Il a dû se battre pour que les trois jeunes hommes ne soient pas séparés et il se lance dans un long récit des tracasseries qu'il a affrontées hier. Son histoire n'en finit plus, c'est un récit comme il en raconte souvent : des lois absurdes, des gens bornés, d'autres qui ne feront pas un effort et ne prendront pas une initiative. Puis, heureusement, des soutiens : des gens qui veulent rendre service, des gens qui sont là pour aider les autres. Je l'écoute en souriant. Quand il est mal à l'aise ou inquiet, papa parle beaucoup. J'ai beau décrocher un peu, je suis fière de lui, et contente que les trois jeunes hommes soient en lieu sûr. Reste à s'assurer que leur demande d'asile aboutisse.

Je dors.

À mesure qu'elle prend ma température, je vois que le front de l'infirmière se plisse, ce n'est pas bon signe. Mais aussi pourquoi fait-il si froid ?

C'est Nahom qui se penche vers mon lit pendant que Natnael et Ghirmay se tiennent en arrière. Visiblement, ils ne sont pas très à l'aise, ils cherchent ce qu'ils pourraient faire de leurs bras. À voix très basse Nahom me dit qu'*everything's gonna be alright* et ça me fait sourire parce que je pense à Bob Marley que maman écoute parfois dans la voiture. Je chantonne doucement ce qu'il vient de me dire. Natnael sursaute, c'est le plus jeune des trois et le plus silencieux d'habitude. Je sais sans qu'il en ait jamais été question que c'est le plus affecté par ce qu'ils ont traversé. Il s'approche de mon lit et se met à fredonner, très vite il chante, il a une belle voix, profonde quoique un peu aiguë, il imite Marley à la perfection, les deux autres rient de le voir, et une infirmière entre dans la chambre pour dire qu'on n'est pas à la Star Academy ici.

Avant de partir, Ghirmay hésite. Je lui souris et il s'approche très lentement de moi, je ne sais pas ce qu'il veut faire, je l'encourage du regard, je voudrais lui dire d'oser mais ma langue pèse trois tonnes et mes lèvres semblent soudées. Très lentement, avec précaution, il pose la paume de sa main sur mon front et aussitôt son visage se crispe. Quelque chose fourmille à l'endroit où il me touche, cela fait comme un très faible courant électrique. Je ne suis pas capable de savoir si c'est agréable ou non. Je revois le vieil homme caché en lui, celui qui est marqué de mille souffrances. Ghirmay paraît avoir mille ans, il me chuchote une chose dans une langue qui est peut-être du tigrinya ou du tigré ou une autre des langues de son pays mais que je comprends. Il me dit d'avoir confiance. Et dès que sa main quitte mon front, il reprend son visage de jeune homme un peu triste.

Tous les trois me souhaitent *Good luck* et je leur réponds la même chose.

Restée seule, je prends la décision de devenir très bonne en anglais, c'est trop frustrant de pouvoir si peu parler. Je vais faire des efforts en anglais et en japonais.

Je dors.

La pluie est repartie aussi brusquement qu'elle était venue. Elle a lavé le monde avec la fureur d'un orage. Elle laisse derrière elle de petits bruits d'écoulements, l'eau goutte lentement le long des feuilles, les arbres s'ébrouent. De la forêt monte une musique liquide qui a presque la beauté du silence.

Nous écoutons la nuit, nous sommes debout, les étoiles les plus basses forment des guirlandes dans la canopée des arbres, j'ai l'impression que je peux voir la tranche de la Voie lactée, je poserai la question à Elliot plus tard. Des rapaces nocturnes poussent des cris de chasse. Des animaux se poursuivent dans les ténèbres. Nous attendons aussi longtemps que nos deux jambes peuvent nous porter.

Pas une lampe torche à l'horizon, rien, pas une bouche humaine pour appeler notre prénom. Simplement les animaux, les créatures de la nuit et la beauté des étoiles.

Nous sommes seul, toujours seul.

Dès le midi, Elliot m'apporte des nouvelles du garçon. Il a fait des captures d'écran de plusieurs articles, il a regardé des vidéos. Tout le Japon se passionne pour l'enfant perdu. Des bénévoles de plus en plus nombreux ont rejoint les secouristes, plusieurs étangs ont été dragués au cas où le garçon se serait noyé. Quatre jours sans manger, des nuits où la température chute jusqu'à 5° ou 6°, une région escarpée peuplée d'ours, les chances de retrouver le garçon en vie sont faibles. Toutes ces nouvelles me tournent la tête, je n'arrive pas à croire que personne n'a encore pensé à pousser les recherches jusqu'à une base militaire désertée. Je suis certaine que le garçon n'a pas marché longtemps. Il se trouve à quelques kilomètres de l'endroit où ses parents l'ont laissé sur le bord de la route.

Elliot me raconte que le père de l'enfant est passé plusieurs fois à la télévision pour présenter ses excuses. Ce qui est étrange, c'est qu'il s'excuse du dérangement causé, il ne s'excuse pas d'avoir abandonné son enfant.

Peut-être est-ce culturel ? je m'interroge à voix haute. *Je ne crois pas*, répond Elliot, *Japonais ou autre, un père qui perd son enfant en forêt n'a pas d'excuse.*

Un ange passe dans la chambre. Elliot me fixe en silence.

Depuis que son père est parti l'an dernier, il a tendance à être dur envers tous les hommes. Je le sais et il le sait, tout comme je sais qu'il lutte contre cette envie de juger et de condamner les faiblesses des pères.

Je pense aux parents de l'enfant, je me demande ce qu'ils font à cette seconde précise, je n'imagine pas une seconde qu'ils aient repris le travail, qu'ils puissent dormir, qu'ils fassent autre chose que d'attendre et d'espérer. Je les vois, chez eux, se morfondre, assis, le regard souvent tourné vers le téléphone, attendant encore et encore d'avoir des nouvelles. J'imagine chaque heure comme une torture. Et plus les jours défilent, plus on donne l'enfant mort, plus la torture devient douloureuse.

Ce n'est pas mon imagination qui brode des histoires, cela se déroule réellement comme ça pour eux. Je sais aussi que le téléphone n'arrête pas de sonner, que chaque fois leur sang se glace, leur cœur cesse de battre, leur main tremble quand elle saisit l'appareil. Et l'appel n'est jamais celui qu'ils espèrent : c'est la grand-mère qui veut avoir des nouvelles, c'est une amie qui leur témoigne son soutien, c'est la police qui explique que l'enfant n'a pas encore été retrouvé, c'est un journaliste qui veut les interviewer. Ce sont mille personnes qui veulent mille choses, mais jamais une voix qui dirait que c'est fini, que l'enfant est sain et sauf, qu'il va rentrer à la maison.

Le sourire d'Elliot me rappelle à l'instant présent. Il est penché vers moi, ses yeux ne quittent pas les miens. Je dois être affreuse, je sens que j'ai les cheveux gras, filasses.

Je sais que j'ai maigri aussi, déjà que je ne pesais pas lourd, l'infirmière a dit ce matin qu'il ne fallait pas que je descende au-dessous de quarante kilos. Qu'est-ce que je pouvais répondre à ça ? Je ne suis ni anorexique ni dégoûtée par la nourriture, je mange, c'est juste qu'un enfant disparu à l'autre bout de la planète pioche dans mon corps les calories dont il a besoin.

Je glisse mes cheveux derrière mes oreilles et Elliot sourit de plus belle. *On s'en fout*, dit-il, *tu verras ça quand tu sortiras*, et je ne sais pas s'il commente mon geste ou s'il répond à mes pensées. Ce que je sais, c'est que nous sommes sur la même longueur d'onde, lui et moi.

Quand l'interne demande à Elliot de me laisser me reposer, il sort un livre de son sac, le pose sur ma table de nuit et s'en va après m'avoir embrassée sur le front. Il ne m'a pas demandé pourquoi je m'intéresse tant au sort d'un garçon abandonné à l'autre bout du monde.

Je dors.

Notre corps est lové sous deux couvertures, nous puons, nous avons faim, nous écoutons craquer et striduler et chanter et gronder la nuit. Nous sommes faible et sans espoir. Nous allons mourir de faim, forcément, nous ne pourrons plus tenir longtemps.

Je somnole.

Je ferme les yeux et ne bouge pas tandis que le scanner ronronne comme un gros chat. À travers des paupières baissées, je vois le scintillement des lumières. Je bloque ma respiration quand on me demande de la bloquer.

J'attends allongée sur un brancard au beau milieu d'un couloir. Je crois même que je somnole un peu.

Une médecin macule mes cheveux d'une sorte de pâte argileuse, elle me parle tout doucement, m'explique qu'elle va maintenant fixer des capteurs tout autour de mon crâne pour réaliser un électroencéphalogramme.

Mes pensées impriment des zébrures le long d'un ruban millimétré. J'ai en tête l'image d'un sismographe. Mes pensées causent de petits tremblements de terre sur le papier. Je souris toute seule.

J'ouvre le livre qu'Elliot m'a offert, c'est un roman de science-fiction dans lequel un simple d'esprit subit un traitement du cerveau et devient un génie. Lire me fatigue, aussi je ne peux guère aller au-delà de six ou sept pages sans faire de pause. Je m'attache vite au personnage de Charlie Gordon qui veut devenir intelligent parce qu'il est amoureux de miss Kinnian, la jolie professeure qui tente de lui apprendre à lire. Je fais des pauses pour dormir et retrouve le roman avec impatience.

J'aime beaucoup le moment où Charlie devient assez

117

clairvoyant pour comprendre qu'il était maltraité jusqu'alors sans en avoir conscience.

Je dors.

Je lis et le roman me fait réfléchir. Il soulève la question de la conscience. Charlie finit par regretter le temps où il était un idiot. Être intelligent, c'est aussi être bombardé de questions, de doutes et de frayeurs.

Maman souffle sur mes doigts pour les réchauffer, et je vois bien qu'elle se force à ne pas pleurer quand elle constate qu'ils demeurent glacés malgré ses efforts.

L'interne explique à mes parents qu'ils ont cherché dans deux directions. Ils ont éliminé une à une les causes les plus fréquentes d'hypothermie. Cela pourrait être un problème cardiaque ou vasculaire. Sur ces plans-là, aucun souci pour moi. En parallèle, ils ont analysé l'activité de mon cerveau. Même s'il est anormalement stimulé, je ne présente pas de syndromes d'épilepsie. J'ai certainement refait une crise de convulsions provoquée par une forte fièvre. Rien n'explique en revanche que je sois passée d'une température corporelle trop élevée à une température trop basse. L'interne évoque un syndrome très rare : la maladie de Shapiro, qui touche à peine trente personnes en France et qui provoque des suées très fortes et un abaissement de la température. Les quelques cas recensés descendent à 35° alors que je reste un demi-degré plus chaude. Il a contacté un spécialiste et attend une réponse. Mes parents boivent ses paroles, ils ont besoin de comprendre ce qui m'arrive, on a tous besoin de comprendre, alors va pour le syndrome de Shapiro. Mettre un mot sur une chose, c'est la domestiquer. Rien n'effraie plus que l'inconnu. Le mot ne change rien, je suis la seule à savoir de quelle maladie je souffre. Je pense à Charlie Gordon dont je continue tant bien que mal à lire les aventures, je pense aux paradoxes de l'intelligence.

Je pense aussi que cela fait cinq jours que le garçon n'a pas mangé, que tout cela va prendre fin très vite.

Papa glisse une main dans mes cheveux. *Tout va bien*, dit-il sans que sa voix ne tremble. Thomas me prête son iPod, il a chargé plusieurs disques que j'aime. *Tu le perds, je t'étrangle*, me prévient-il.

Je dors. C'est le soir, alors que nous buvons de l'eau, nous entendons l'ours pousser un grognement. Le son vient de l'ouest où le soleil se couche, de très loin, je me demande s'il s'agit du même ours, je n'en sais rien. Un avion disparaît derrière des nuages. Et aucune équipe de sauveteurs ne se présente sur le chemin.

La peau de mes bras, sous mes doigts, est une membrane insensible qui recouvre un corps de glace. J'ai beau être poisseuse de sueur, j'ai froid, si froid malgré les couvertures que les infirmières ont entassées sur mon lit.

Je somnole. Un SMS d'Elliot m'apprend que les recherches ont été arrêtées. Au bout de cinq jours, il n'y a plus aucun espoir de retrouver le garçon en vie. Il me reste la force de pleurer.

Ce serait une histoire banale, en fait : un enfant tombé à l'eau appelle au secours, une fille plonge pour le sauver, l'enfant paniqué s'agrippe si fort à elle que les deux coulent et se noient.

Je dors et je réintègre notre corps pétrifié par l'attente et la faim. Je continue de chantonner, un murmure, une mélopée d'avant le langage, ténue et fragile. Je ne sais pas me taire tout à fait, je voudrais juste que les choses se déroulent sans douleur ni souffrance.

Je dors.

L'enfant dort.

Et – à sept heures d'intervalle – nous entrons dans le sixième jour.

Là,

un bruit,

une poignée tourne,

une ombre de l'autre côté du verre dépoli,

un pas sur le sol,

et la poignée n'en finit pas de grincer,

puis,

lentement,

inexplicablement,

la porte s'ouvre.

Roulé en boule, nous avons vu naître le jour de l'autre côté des fenêtres, j'ai parlé toute la nuit, j'ai raconté tout ce qui m'est passé par l'esprit : l'histoire de trois jeunes Erythréens ayant fui leur pays, l'histoire d'Elliot qui a cru voir un ovni un soir en observant les étoiles, l'histoire de Tony — le jeune frère de Klara — qui a fugué plusieurs jours et couru des dizaines de kilomètres lorsque leurs parents ont été menacés d'expulsion (j'ai expliqué au garçon qu'ils viennent d'Ukraine et — comme il est très jeune — je lui ai dit où se trouve ce pays). J'ai aussi raconté l'histoire de Norbert — un garçon qui vit dans mon immeuble –, il avait trouvé une grenade dans une maison en ruine et l'avait emportée au collège, cachée dans son cartable. J'ai même raconté le roman que je lis à l'hôpital. Je n'ai pas su me résigner au silence. Je n'ai pas su dire au garçon que les secouristes avaient abandonné hier soir l'espoir de le retrouver vivant.

La porte s'ouvre et une seconde je me demande si l'ours a décidé de revenir explorer la base. Ces bêtes sont des opportunistes, elles mangent ce qu'elles trouvent, elles ont compris depuis longtemps qu'en lisière de la présence humaine la nourriture était abondante : elles fouillent les poubelles, éventrent les sacs, renversent les containers.

La porte s'ouvre, notre cœur se fige, et – à contre-jour – nous apercevons la silhouette d'un miracle : le garçon identifie immédiatement l'uniforme que nous devinons en plissant nos yeux, c'est celui des forces d'autodéfense. Un militaire entre lentement dans le dortoir. Dans un regain d'énergie incroyable, l'enfant se redresse. Le militaire sursaute, il vient de nous apercevoir, il fait un pas en avant,
 Je sais à cette seconde que le garçon sera sauvé,
 le soldat semble avancer comme s'il dormait lui aussi, il est lent, très lent, je scrute son visage mais il est encore à contre-jour,
 tout se déroule avec une telle lenteur,
 le soldat fait un pas, son visage apparaît enfin, je sursaute, ce n'est pas possible, je vois Ghirmay et je me

demande ce qu'il fait là ? dans cet uniforme ? dans mon rêve ? au Japon ? puis son visage change, sa couleur pâlit, il se transforme, ce n'est pas Ghirmay, je me suis trompée, ce doit être la fatigue ou l'hypothermie ou l'appréhension, c'est un soldat, un soldat japonais, il est jeune, il hésite une seconde puis prononce le prénom du garçon. Notre cœur bondit dans notre poitrine. Je ne comprends plus rien, hier la télévision a annoncé que les recherches étaient stoppées. Quand il veut répondre, le garçon s'étrangle. Il n'a pas parlé depuis six jours, sa bouche est sèche, sa langue collée. Il avale une gorgée de salive et reprend. Je comprends qu'il dit : *Oui, c'est moi.* Et je sais qu'il est sauvé.

Il est sauvé,

oh,

je voudrais remercier le monde entier,

il est sauvé,

le soldat s'approche lentement pour ne pas l'effrayer,

l'enfant lui demande à manger,

le soldat s'arrête, réfléchit une seconde, dépose le sac qu'il a sur ses épaules, en extrait un carton contenant une ration de survie.

L'enfant est sauvé,

je chante,

l'enfant

est

sauvé,

et je vois qu'une autre personne se tient dans l'embrasure de la porte : c'est bel et bien Ghirmay qui est là, debout, ses cheveux noirs crépus coupés court, il porte un vieux survêtement récupéré dans les sacs de vêtements qu'offrent les bénévoles aux réfugiés, il me regarde et il sourit et jamais son visage ne m'a paru aussi lumineux,

je comprends alors,

je sais qu'il est entré dans le rêve du soldat qui donne un biscuit au garçon, il a conduit ses pas jusqu'ici,

il a guidé les secours jusqu'à nous,

jusqu'à moi,

et nous rions en nous regardant,

Ghirmay s'estompe, la lumière le traverse,

une seconde, je ne vois plus que son sourire et ses yeux,

il faudra que je lui demande s'il connaît le chat du Cheshire, s'il a déjà vu le dessin animé d'Alice, s'il a vu des Walt Disney enfant,

et la joie m'expulse du rêve, je me réveille dans mon lit d'hôpital, je ris toute seule, un rire qui se transforme vite en sanglots, je déborde d'un soulagement dont je ne sais que faire, une vague immense emporte tout sur son passage, arrache mes défenses, dévaste mes boucliers et mes armures, je pleure, j'encaisse un tsunami d'émotions contradictoires, la joie, l'apaisement, la consolation et une tristesse étrange, que je peine à m'expliquer avant de comprendre que le garçon n'aura plus besoin de moi dorénavant, il va retrouver sa famille, sa vie, son quotidien et il n'aura rien su de ma présence invisible.

Le garçon n'aura rien perçu de ma présence.

Il n'a pas su qu'il n'était pas si seul.

Je pleure de joie.

Je pleure de soulagement.

Je pleure d'être arrivée au bout du chemin.

J'essuie mes larmes avec un coin du drap, je regarde l'heure, il est à peine 3 heures du matin, j'ai la nuit devant moi pour absorber la joie et laisser refluer le chagrin.

Je suis persuadée que je ne parviendrai pas à dormir, et quand l'aide-soignante frappe à ma porte pour m'apporter mon petit déjeuner, je suis surprise de constater qu'il est déjà 7 h 30. Pour la première fois depuis six jours, je n'ai aucun souvenir de mes rêves. Avant de boire mon chocolat, je repousse les couvertures, j'ai chaud, très chaud.

D'un SMS Elliot m'informe que le garçon a été retrouvé dans une base militaire à cinq kilomètres et demi de l'endroit où il avait disparu. Il a été conduit en hélicoptère à l'hôpital. Il est déshydraté, il souffre également d'hypothermie. Il a été retrouvé par hasard par des militaires qui effectuaient des manœuvres dans le secteur. Apparemment les retrouvailles avec sa famille ont eu lieu en direct à la télévision. Le père lui a présenté ses excuses et l'enfant les a acceptées.

Comme tous les matins, maman vient me voir en coup de vent avant de filer travailler. Sur le seuil de la chambre, elle s'arrête, me regarde avec attention. Son front est barré d'une profonde ride, puis son visage se déplisse. *Tu as bonne mine*, me dit-elle.

C'est fini, je réponds. Je n'ai pas encore vu le médecin, mais je sais que c'est fini, ma température est redevenue normale, je vais pouvoir rentrer à la maison. Les yeux de maman se mettent à briller, j'espère qu'elle ne va pas pleurer parce que je sais que je ne pourrai pas m'empêcher de l'imiter.

L'infirmière qui prend ma température et ma tension m'adresse un très beau sourire. *Tu as l'air en pleine forme,* elle me dit. Et je tente une plaisanterie maladroite sur le fait que je vais vraiment être obligée de passer mon brevet dans deux semaines.

Déconcerté, l'interne confirme ma bonne santé. Son diagnostic d'un syndrome de Shapiro s'effondre. Les médecins ne supportent pas ne pas comprendre. Ma tension est normale, ma température corporelle également. Aucun examen n'explique ce qui m'a rendue malade. Ma guérison subite est un mystère. J'apprends que je peux sortir dans l'après-midi. Mes parents sont prévenus, c'est mon père qui viendra me chercher.

Les médecins n'expliquent rien parce qu'il n'y a rien à expliquer. Un garçon se perd, appelle à l'aide et c'est moi qui le trouve. Point. Je sais que je ne parviendrai jamais à savoir ce qui s'est produit. J'ai donné un peu de ma chaleur et un peu de mon énergie à un enfant qui en avait besoin. Je reçois un nouvel SMS d'Elliot. D'autres articles ont été publiés sur cette affaire. Les médecins sont étonnés de la bonne santé de l'enfant. Le robinet d'eau lui a sauvé la vie, mais il devrait tout de même être plus éprouvé par sa longue diète.

Je souris.

Je pense à l'expression qui – en japonais – signifie que l'on disparaît sans laisser de traces : *Kamikakushi*, masqué par les dieux. Les dieux enlèvent un enfant et dépêchent un ange gardien. Je me demande si nous avons tous quelqu'un qui prend soin de nous quand nous allons mal. Ce serait le secret le mieux gardé de l'univers. Tout le monde, dans ses rêves, irait soulager la détresse d'autrui. Mon seul don serait d'en garder souvenir.

Je sais que je délire, pourtant le monde m'apparaît moins violent si je pense qu'à cette seconde précise un ange gardien veille sur moi.

Trois petits coups frappés à la porte. Elliot est incorrigible. Avant même qu'il n'entre je proteste doucement : il devrait être en cours ce matin, il n'a rien à faire là. Elliot sourit sans essayer de me répondre. Je fais la forte tête alors que je suis heureuse de sa présence. *Eh bien*, demande-t-il, *tu as trouvé le chemin pour sortir de la forêt ?*

Un jour, plus tard, avec Elliot, il faudra que l'on ait une longue conversation au sujet de tout ça. Ce sera à moi de lui parler, il n'osera jamais me poser directement les questions qui tourbillonnent dans son esprit. Pour l'instant, j'ai ma main dans la sienne et c'est amplement suffisant.

J'identifie Thomas à sa démarche un peu lourde dans le couloir. Je lui dis d'entrer juste avant qu'il ne frappe à la porte, je sais qu'il déteste ça. *Ça va mieux, sorcière ?*, sont ses premiers mots du matin. Lui aussi devrait être en cours, je deviens un prétexte facile pour tous ceux qui ont envie de sécher. J'ai envie de répondre par une plaisanterie mais je sens que l'émotion me submerge. Mon frère irradie littéralement de soulagement, et mes larmes se remettent à couler, là, une main dans celle d'Elliot, une autre dans celle de mon frère, je pleure comme une madeleine, comme une gamine, comme un être humain.

L'été finit par s'installer. Mon brevet comme le bac de Thomas deviennent de simples souvenirs, l'an prochain je serai lycéenne et Thomas étudiant. J'ai demandé une faveur à mon frère, j'ai emprunté à la médiathèque une compilation de musiques rétro japonaises, de la variété des années 1960, j'ai envie qu'il en passe quelques titres. Eiko Shuri chante *Yé Yé* et ça crée comme une hésitation parmi les gens qui dansaient. De derrière les platines où il s'est installé pour mixer, Thomas me jette un regard qui veut dire : *je t'avais prévenue.* Je me lance, aussitôt rejointe par Elliot, et les danseurs se laissent porter par la chanson – un peu stupide, j'en conviens. Je lève les bras, fais de grands moulinets, sautille sur place. Elliot tourne sur lui-même jusqu'à manquer de perdre l'équilibre. Ce sont mes parents qui ont organisé cette fête pour célébrer nos succès : mon brevet et le bac de Thomas, l'arrivée des vacances et l'acceptation des demandes d'asile de Ghirmay, Nahom et Natnael.

Ces trois-là ne dansent pas, ils parlent dans un coin avec mon père. Nahom me sourit de toutes ses dents quand ses yeux croisent les miens. Ghirmay garde une réserve, parfois je surprends son regard sur moi. Un jour, quand il maîtrisera mieux le français et moi mieux l'anglais, il faudra que nous ayons une longue conversation. Il est entré dans mes souvenirs et j'ai effleuré les siens, cela crée une drôle d'intimité entre nous. J'aimerais qu'il m'explique comment il a procédé pour faire venir ce soldat, comment il a su me trouver dans mon rêve. Tout comme moi, je ne suis pas certaine qu'il connaisse la véritable étendue de ses capacités. Cela m'arrive simplement de savoir des choses que personne ne m'a dites, j'ignore totalement comment je fais. Pour l'instant, nous n'avons pas besoin de parler pour nous comprendre. Je revois flotter son sourire, je ressens toujours les choses terribles qu'il a vécues. Ce qui est certain, c'est que c'est grâce à ses capacités que Nahom et Natnael et lui-même sont arrivés saufs jusqu'ici. Il les a protégés durant leur long et dangereux voyage. Un jour, on aura cette conversation.

Je le cherche, il n'est plus avec papa, il est sur le balcon, de dos, il contemple le ciel.

Depuis ma sortie d'hôpital, je n'ai jamais entré le nom du petit garçon dans un moteur de recherche. Je ne veux pas le retrouver ni voir son visage ni l'entendre parler à la télévision. La nécessité qui nous a réunis n'a plus de raison d'être. Maman, qui danse avec le père de Klara, me frôle pour me dire que cette musique est parfaitement crétine, je ris.

J'aimerais savoir préserver intacte la joie que je ressens en cet instant précis.

Hier, pour la première fois, j'ai réussi à faire bouger un crayon sans le toucher. Il m'a suffi de le fixer longuement et il a roulé sur mon bureau. Ce n'était pas spectaculaire, il n'est pas parti se planter dans un mur pas plus qu'il n'a accompli des loopings dans les airs. Il a dû se déplacer de deux centimètres.

Un jour, je comprendrai tout ça.

Pour l'instant, je danse, tourne, vole, virevolte, et la joie est la plus belle des réponses aux questions inquiètes que pose le monde.

Remerciements

Le samedi 28 mai 2016 en début d'après-midi, Yamoto Tanooka, alors âgé de sept ans, pique une crise dans la voiture de ses parents. Il semblerait que l'enfant ait été insupportable depuis le matin. Son père le fait descendre de la voiture pour le punir, redémarre, fait demi-tour dans la minute qui suit, revient à l'endroit où il a laissé l'enfant pour constater avec effroi que ce dernier a disparu. Le garçon sera découvert le vendredi 3 juin – six jours plus tard – dans une base d'entraînement militaire située à 5,5 kilomètres de là. Il a survécu en buvant de l'eau. Entre-temps, la disparition de Yamoto a provoqué une vague d'émotion et soulevé des débats passionnés dans tout le Japon.

Je n'aime pas les faits divers, ils sont souvent de simples anecdotes qui détournent notre attention de l'essentiel. Celui-ci pourtant m'a hanté, et je n'ai eu d'autre solution que d'en faire une fiction. *Dans la forêt de Hokkaido* est un roman. J'ai pris mes libertés avec la véritable histoire de Yamoto, je crois que j'avais envie de raconter comment on peut se mettre à la place d'autrui, comment on peut être affecté par les mille drames qui se déroulent chaque jour dans le monde et dont les médias se font un plaisir de nous informer.

J'avais également très envie de retrouver Julie, déjà présente dans *Plus haut que les oiseaux* et dans *Et les lumières dansaient dans le ciel*.

Je tiens à remercier Judith Ott qui randonnait à cette époque dans un parc naturel de Hokkaido, des clochettes accrochées à son sac pour faire fuir les ours. Les photos qu'elle m'a envoyées ont été une aide précieuse pour imaginer l'ambiance de la forêt.

Le roman de science-fiction que lit Julie se nomme *Des fleurs pour Algernon*, il a été écrit dans les années 1960 par Daniel Keyes, et je ne peux qu'en conseiller la lecture.

Les dieux de l'orthographe me pardonneront d'avoir accordé au singulier les adjectifs qualificatifs de certains verbes conjugués à la première personne du pluriel, c'était la seule façon – à mon goût – de faire entendre que deux personnes partageaient un seul corps.

J'ai une pensée pour tous les parents qui ont un jour rêvé une ou deux secondes d'abandonner leurs enfants en forêt.

Ce livre est dédié à Zoé, Louna et Mélio.

Du même auteur à *l'école des loisirs*